TAKE
SHOBO

成約率100%の婚活アドバイザーに“すべて”教えられてしまいました

葉月クロル

ILLUSTRATION
唯奈

CONTENTS

イラスト／唯奈

成約率100%の婚活アドバイザーに〝すべて〟教えられてしまいました

第一章　結婚できない女

凜子（りんこ）が婚活に目覚めたのは、会社のトイレであった。

昼休み、その朝飲んだドリンクヨーグルトがいい仕事をしてくれたので、『ナイス、デトックス効果！』とホクホクしながら少々長めに個室にこもっていた彼女の耳に入ったのは、後輩たちの笑い混じりの言葉だった。

「ちょっと目障りだよね、毒林檎（りんご）」

「腐りかけてるって感じじゃん」

「いやいや、どっちかっていうと、熟れる前に落ちちゃったみたいな?」

三人娘の嫌味な笑い声がトイレに響く。

見た目はイケてるお嬢さんたちなのに、中身は大変残念である。

「もうさあ、ハンコがひとつ足りないくらいで、いちいち戻さなくたっていいじゃんねー」

音から察するに、彼女たちは入念に化粧直しをしているらしい。

たしか隣の部署の、男性にウケそうなほんのり茶色のカールロングヘアをした女子社員と思しき声が言った。

「きっと若い子に嫉妬してるんだよ、あれ。惨めだよね」

「意地悪されて、赤井さんかわいそー」

口ではそう言っているが、少しバカにした響きを感じて、凜子と同じ部署の赤井らしき女性が笑いを止めた気配がした。しかし彼女は何も言わずに、化粧直しの続きを始めたようだ。

このトイレは、凜子の所属する総務の部屋からは離れている。あまり人も来ずいつも静かなので、長めに滞在するのに好ましく、わざわざやってきたのだ。

不幸な事に、のんびりできると考えたのは凜子だけではなかったらしい。まさかここの個室に悪口のターゲットがいるとは知らずに、後輩たちは言いたい放題だ。

毒林檎。

目障りな毒林檎。

悪意のこもった言葉に、凜子はショックを受けるというよりも心の一部がひんやりと冷えたように感じた。

ハンコが足りない……心当たりがあった。確かに書類の不備があったため、彼女は赤井にやり直しを指示したばかりだ。実際には印鑑がひとつ足りないばかりではない書類だったのだが、ミスをした赤井は同僚にはそれを言わなかったのだろう。

（わたしのあだ名、なんだ……『毒林檎』だってさ……陰でそんな事を言われていたなんて、初めて知ったわ。それにしても……すごいや）

凛子は他人事のように考えた。

腐りかけの、もしくは、熟れる前に木から落下した毒林檎。

それが、この会社の後輩による自分への評価なのだ。

佐藤凛子30歳。

乙川商事の事務担当。

その才能に特に秀でた点はなく、無愛想な雰囲気だと言われているように人付き合いもやや苦手だ。

着ている服は地味だし、伸ばしっぱなしで背中にかかる髪は黒いゴムでひとつに縛っている。

学生時代に、なんとなく同じサークルの男性と付き合ったが、やはりなんとなく別れてそれきりだ。彼とはキスまではしたが、肉と肉がぶつかった、くらいの感想しかなくて、ときめきよりも気まずさを感じて終わった。

レモンの香りもしなかった。

なので、凛子は立派な処女である。

眼鏡をしていないので、凛子は少女マンガにある『コンタクトレンズにしたら美人だった』という技も使えない。中肉中背なので、『ダイエットしたら美人だった』という技も使えない。

生まれながらのモブ、脇役、その他大勢の女。それが凛子だった。

そんな地味な事務員のニックネームが『毒林檎』だという。

（なかなかインパクトのある名前だな。でもわたし、あの子達に憎まれることをしたかなあ……甘やかしてないのは確かだけどさ）

暖房付きなので、長時間座っていても快適な個室で、凜子は考えた。おしりが丸出しで、前かがみになって考え込む凜子の姿は、決して誰にも見せられない。

しかし、いくら考えても、凜子には後輩を非常識にいじめた記憶はない。

会社の先輩として、時にはミスを指摘することもあるが、それはあくまでも仕事上のことであるし、華やかな若い女性を妬んで意地悪などしていない。というか、あまりにも自分と違う生き物なので、彼女たちに嫉妬する気も起こらないのだ。

（毒林檎って……あれだよね、白雪姫の継母が老婆に変身して持っていくやつ）

白雪姫は、毒林檎を食べて喉に詰まらせ、仮死状態になるのだ。

（するとあれか、赤井さんが白雪姫か）

致命的な書類を作成した主は、赤井治代（はるよ）だ。

治代。

この名前を本人は非常に嫌がっている。

彼女の考えでは、これは『シワシワネーム』とかいうものらしい。『治』の文字が明治の治である事が、彼女には許せないらしいのだ。そのため、本人は絶対に治代と名乗らないで、『ハルル』だと自称している。

しかし凛子は、二十代女性が自分を『ハルル』と呼ぶように頼む方が痛くて恥ずかしいと思うし、『治代』という名前の響きには春を思わせる軽やかさと落ち着きがあり、『ハルル』なんていう呼び名よりもずっと素敵だと思っていた。

ただ、まだ若い赤井治代は、お肌もピチピチだし、くりっとした目の可愛らしい子だ。彼女に白雪姫の役はうってつけかもしれない。

（毒林檎じゃなくて、魔女にしてくれた方がカッコよかったのになあ。あ、魔女だと美人になっちゃうんだっけ。そこでキャラ的に無理が生じた、というわけだな。でも、やっぱり果物よりも人間の方がいいよなあ。なんとか魔女になれないかなあ、魔女になりたいなあ……）

おしりを丸出しのまま、凛子はせめて人間になれないものかと真剣に考えていた。

後輩たちは、凛子が考え込んでいるうちにいなくなっている。

どう考えても『凛子』という名前から『毒林檎』にされたのに、凛子の思考は明後日の方に飛んで行っていた。飛んで行きながらも、そろそろ席に戻った方がいいと思い、個室から出て手を洗った。

鏡に映っているのは、無表情な地味事務員だ。

手を洗って乾かした凛子は、鏡をもう一度見ると口角を上げ「……ふっ」と笑った。

（イケる。今の、ちょっと悪役っぽかった）

佐藤凛子30歳。独身。

同期が次々に寿退社をしていって、残った仲間も産休や育休で会社にいない。ただひとり残されたのが凜子だ。

そして、本日判明したニックネームが『毒林檎』。

（英語で言うと、Poison apple。おお、ちょっとカッコいいかも。人間じゃないけど、ポイズン）

凜子はなぜかそこに満足した。


翌日も、凜子は例のトイレにこもった。

奇妙な期待をしながら。

乙川商事はなかなか業績がよく、そのため社屋も数年前に建て替えたばかりだ。最新式のトイレも清潔で快適なのである。

いやむしろ、快適すぎる。

というのは、この会社の社長が「会社の顔はトイレである。トイレが綺麗な会社は一流の会社なのだ」というポリシーを持っていたため、乙川商事のトイレには泡が吹き出して汚れを消し去る自動洗浄機能付きの暖房便座はもちろんのこと、強力な換気装置に、毎日変わるハーブの香りが漂ってくる爽やかな空気清浄機まで備わっている。

もちろん、掃除も行き届き、隅々まで除菌消臭された清潔なトイレは、ここでお弁当を食べても大丈夫じゃないかと思われるほどの空間だ。

そして、洗面コーナーとは別に、化粧直し用のスツール付き三面鏡ドレッサーも並び、ここはどこの高級ホテルかと突っ込みを入れたくなるほどの充実ぶりなのである。

実際、『綺麗すぎるトイレの会社』としてテレビや雑誌の取材まで受けた乙川商事は企業イメージが大変上がり、業績もぐんぐんと上がって元気な企業となっているのだから、社長のポリシーは間違っていなかったようである。

さて、凜子は今日も同じトイレの個室に潜んでいた。昨日は後輩に悪口を言われてショックであったが、朝起きたら一周回ってむしろ楽しくなっていた。自分の事を地味で存在感のない人間だと思っている凜子（そして、それは事実である）にとって、若い後輩たちの話題の中心になるなどという事は、彼女にとっては『祭り』に相当する華やかな出来事なのだ。

そうなのだ、なんと『林檎祭り』が絶賛開催中なのだ。これは、生粋のモブキャラである彼女にとっては、モテ期が来た事に相当するくらいの、心弾む事態なのだ。

そのため彼女は、陰口を叩（たた）かれているというネガティブな気分よりも、物語のヒロインになったかの様なポジティブな気分の方が上回った。

佐藤凜子30歳。

悲しいくらいにモブである。

人生で初めて迎えた（悪口の）祭りに、主役級のトキメキを覚えてしまう、モブである。

無駄に心臓の鼓動を感じながら、無表情に（しかし、ほんのりと頬を染めて）ピンと背筋を伸ばし便座に座って待機していると、案の定、後輩たちがやってくる気配がした。

やはり彼女たちはここの常連のようだ。

物音からすると、若い女子社員たちはスツールに並んで座り、化粧ポーチに詰め込んだ高そうなデパートコスメを使ってメイクを直しているようだ。このブランドは発色が良いだの、どこの部署の誰がカッコいいの、誰々が生意気だのとひとしきり話をした後、とうとう言った。

「毒林檎ってさ、いつまでこの会社にいるんだろうね」

（キターッ！　ポイズン登場！）

便座に座った凛子は、胸の前で指を組み、息を殺しながらドキドキして聞いていた。

地味で存在感のない凛子が話題の主役になっている。今この瞬間、彼女はヒロインだ。

さあ、コードネーム『Poison apple』の諜報活動が始まった！

凛子は一言も聞き漏らさないようにと耳をすませた。

「いつまでだろうね。あの人、寿退社なんてしそうにないじゃん」

「絶対に男いないよね」

（うん、いないよ）

心の中でこっそりと、会話に加わってみる。

「毒林檎、一生結婚できなそう」

（マジか！　やっぱできなそうか！　実はわたしもそう思ってるんだよね）

便座に座ってうんうんと頷（うなず）く。

心の声で会話に加わり、女子トークの楽しさを味わう凛子である。

「えー、じゃあさ、一生この会社にいるの？」

「クビにならなかったらいるかもね。あの人、仕事はちゃんとこなすし、なんでもやれるし、便利がられてるから……やだ、なんか地縛霊みたい。乙川の主？　妖怪毒林檎とか……」

「きゃー、怖いこと言わないでよ！」

後輩たちはけらけらと笑っている。

（おっと、待て待て、今度は地縛霊ときたか！　そして、妖怪毒林檎とな！　さて、地縛霊と妖怪ではどっちが人間に近いかな……果物よりも進化した気がするよ……ふふふ）

変な事にこだわる凛子である。

そして、トイレの中でひとりにやにやする姿は、まさに地縛霊にふさわしい。たとえここに本物の地縛霊がいたとしても『あ、よろしかったらどうぞ』と一歩引いて凛子に立場を譲ってくれそうな程だ。

その時、赤井治代が言った。

「今のうちに婚活して男見つけないと、一生独身コースだよ、あれ」

（え？　婚活？）

話の流れに、凜子は目をパチクリさせた。

(わたしが婚活？　男を見つける……そんなことが……)

モテない自分は結婚できない。

そう決めつけていた凜子は、後輩の言葉に心底驚き、そして小さくときめいた。

「だよねー。あの人はそういうの、自分でわかってないいんじゃない？　もうアラサーでしょ？　今を逃すと目も当てられなくなるパターンだよ」

「ダサくてもなんでも、早いとこ男を捕まえておかないと、一生シングルだよね。ああいうもさっとした女は、普通にしてたら絶対男なんてできないよ。男って所詮は見た目で判断するからさ、毒林檎は不利だよねー」

赤井は、「別に心配してるわけじゃないけどね」と続けた。

「あの女はウザいけど悪いやつじゃないもんね。あれと結婚したい男、ちゃんと探せばひとりくらいみつかるんじゃないの？」

(え？　本当に？)

治代の言葉に、凜子は目を丸くした。

(嘘、やだ、赤井さんったら、わたしのことをそんな風に見ていたの？)

便座に座った凜子は、ちょっぴり照れてくねくねと動いた。

怪しすぎる。まさに妖怪だ。

凜子は知らなかったが、実は昨日の夕方に、凜子たちの上司が赤井治代に注意していたのだ。「君の書類、佐藤くんがチェックしていなかったら損害賠償もののミスになる所だったんだぞ」と。

それを聞いて青くなった治代は自分の席に戻り、以前に「これを読みなさい」と凜子がくれたファイルを見返した。改めて見たら、そこには書類作成のポイントがカラフルなマーカーを使ってわかりやすく説明してある。

（毒林檎……わたしの仕事の弱点を教えてくれてたんだ……）

地味で存在感の薄い凜子がぼやんと手渡したものだから治代の中で印象が薄く、そんなお役立ち情報だとは思わずにしまい込んでいたのだ。

しかし。

凜子の先輩愛に気づいたからといって、ここで手のひらを返したように凜子に日和るハルルではなかった！

「あー、じゃあさ、誰か毒林檎に婚活しろって言ってやりなよー」

ハルルの同期女子が言ったが、ハルルはふん、と鼻で笑う。

「あんな辛気臭い顔して、ずっといられたらうざいよね。ハルルは一パスね。誰でもいいから、あの人を早く片付けちゃってよ」

先輩を先輩とも思わない、上から目線のハルルである。

「やだよー、そんなこと言ったら絶対恨まれるじゃん」

「むしろ、呪われそうだし」

「毒林檎に触ったら、腐っちゃうよー」

「独身がうつるー、超ヤベー」

「うつるー、うつるー、超ヤベー」

口々に言って笑いながら、メイクが終わったらしき後輩たちは出ていった。

残された凜子は「うつらねーよ！」と突っ込みを入れながら個室から出た。

「婚活……か。なるほどなあ」

鏡の中の自分を見ながら腕組みをする。

地味でモテない自分は、このまま漫然として毎日を送っていても結婚相手に会えないだろう。結婚どころか、処女を散らすこともなさそうだ。

いままであまり恋愛に興味がなかったため、結婚について真剣に考えていなかった凜子だったが、後輩の言葉で頭の中に光が射した。

そうだ、婚活だ。

「今を逃すと目も当てられないということは、今はまだチャンスがあるってことだよね」

後輩たちの言葉を思い出す。

このまま会社の片隅で歳を重ねていっても、お局を極めて厄介者になる未来しか思い浮かばない。それならば、三十代に乗ったばかりの今こそ、婚活とやらに挑戦してみる方がいいかもしれない。

婚活をすれば、結婚相手に会えるのだ。

たぶん。

そして、キスより先の事もするのだ。

するのだ！

「……おお！　ポイズン！」

興奮してきた凛子は、鏡の中の自分を見ながら両手を頬に当てた。

「そうか、そういう生き方もあるんだ。婚活とか恋愛とかモテとか、そういうのはわたしには関係ない世界だと思っていたよ。無駄な事だと思ってたけど、イケてるおねーちゃんたちが勧めてくるって事は、これは部屋でサボテンを育てている場合ではないな」

勧めてはいない。

しかし、ある意味シビアな目をした後輩たちが『凛子は婚活すべき』と言った。つまり、凛子のことを『婚活しても完全に無理な女』だとは言っていないのだ。

そこに一縷の望みの存在を嗅ぎ取った凛子である。

多肉植物を育てるのは楽しい。しかし、一生独身で多肉植物を育てて人生を終える決意をするにはまだ若すぎる。どこかの時点で盆栽に移行するという手もあるが、凛子は自分の人生を『植物の育成』からぐいっと曲げてみる事にした。

「よし。婚活をするぞ。婚活を……しようと……思うんだけど……あれ？」

新しい人生を歩む決意をした凛子であったが、一歩踏み出す前に壁にぶち当たった事に気づいて、頬に当てた手を再び腕組みに戻しながら「ううむ」と唸った。

「婚活ってどうすりゃいいのだ、ポイズン」

第二章　婚活パーティー

佐藤凜子30歳。

特に秀でた所もない、事務担当のＯＬ。

しかし、トイレの中で行われた『林檎祭り』は、地味でモブな彼女のテンションを上げていた。

そうなのだ、彼女は遠慮のない後輩たちの言葉に眠っていた魂を揺さぶられ、『多肉植物の寄せ植え↓盆栽』という渋い人生のコースから車線変更し、婚活市場に躍り出る事を決意したのだ！

しかし。

生涯に一度しか男女交際の経験がなく、しかもそれすら『口と口がぶつかったキスもどき』止まりであった凜子には、婚活も恋活も男友達の作り方もまったくわからなかった。

というわけで、一人暮らしのアパートに帰った凜子は、口にスルメを咥えながらパソコンに向かっていた。特に飲んべえというわけではないが、凜子はスルメとか昆布とか干した貝柱とかビーフジャーキーとか、もぐもぐと噛んで食べる物が好物であった。

「素晴らしい魔法の箱だな……」

『婚活』と検索しただけで出てきた情報量の凄まじさに、武者震いをしながら凜子は呟いた。

人見知りをする凜子にも、仲の良い友達がいる。しかし、あまり愛想がなくちょっと変わった凜子の良さをわかってくれる女性というのは、当然ながら人柄も良いため、皆早々と結婚相手を見つけて、今はちょうど子育てで忙しい時期だ。

結婚相手を容易に見つけてしまった彼女たちは、『婚活』をしていない。

つまり相談しても婚活について教えてもらえない。

というわけで、『Poison apple』のミッション遂行のための知識はインターネットで仕入れることにしたのだ。

「婚活パーティー、縁結び、アプリ、お見合い……え、たくさんありすぎるし、内容がちょっとわからないや」

画面には様々な広告が並んでいるが、どれがどのようなものだかさっぱりわからない。

凜子はネット迷子にならないように『初めて』というキーワードを新たに打ち込み、そこに見つけた『初めての婚活』というサイトを研究することにした。

「ええと……婚活パーティーとは集団お見合いのことで、街コンは合コンのでかいやつ、あとはマッチングアプリと結婚相談所、友達からの紹介、親戚からの紹介、職場での知り合いというのも良い婚活である……そういえば会社の飲み会があったっけ！」

凜子は、会社勤めをしているなら、そこも『婚活』の場になるという事に改めて気づいた。

「どんなチャンスも逃しちゃダメだね。明日出社したら、飲み会の出欠を参加に変更しなくちゃ。わあ、すごいな、なにこの相席居酒屋と相席カフェと相席バーと相席イタリアンと……なんでも相席付けりゃいいってもんじゃないでしょうが。でもまあ、逆に言えば、どんな場所でも婚活は可能、って事だよね。え？　婚活ツアー？　バスツアーもあるの？　わ、婚活キッチンって何さ、男性と一緒に料理を作って食べるの？　婚活ディナー、ゴージャス、高い！　ほえー」

高校の時のジャージを着てスルメを噛み締めながらブツブツと呟く、怪しい姿である。

「婚活っていっても、けっこう種類があるもんだな」

想像以上の情報量にため息をつく。

しかし、すでにアラサーとなり、お局へのカウントダウンが始まっている凜子は時間を無駄にしたくない。

「うーん、いきなり男性とふたりだけで会うのはハードルが高いから……よし、これにしてみよう」

まずは参加して、それからいろいろと勉強しよう。

ということで、無知ゆえに恐れを知らない凜子は、週末に開催される婚活パーティーに早速申し込むことにした。

「披露宴の乾杯の挨拶は、部長に頼めばいいのかな」

よくある話だが、凜子は婚活パーティーに申し込んで、もう成功したような気持ちになっていた。

結婚といえば、結婚式。

凜子の脳内ではすでに、白いウェディングドレスに身を包んだ自分がチャペルで永遠の愛を誓い、披露宴会場に入場していた。

隣に立つのは、背が高くて引き締まった身体つきの男性だ。もちろん、大企業に勤めているエリート社員で年収は一千万円以上。スポーツが好きで優しくて、家事も得意な……普通の青年である。

そう、普通の男性。

婚活というものを全く知らない凜子は、自分の結婚相手は普通の男性でいい、そう思っていた。彼女は婚活界における『普通』がどれだけレアなものかを……知らなかったのだ。

出社した凜子は、昨夜決意した通り、まず飲み会の出欠簿を参加に書き換えた。

「あれ、珍しいな。佐藤も行くんだ」

声をかけたのは、同期の畑中創太（はたなかそうた）だ。凜子が話をする数少ない友達……まではいかない、単なる同期である。対人関係においてどこか壁を崩さない凜子にマメに話しかけてくれる創太は、非常に貴重な人物であった。

「三浦も酒井も育児休暇中だからなあ」

「うん」

　凜子は頷く。仲の良い同期の女子社員が会社を休んでいるので、元々人付き合いが苦手な彼女は、飲み会には出なくなっていた。

「俺も出るから、なんかあったら声かけてよ。一緒に飲もうぜ」

　凜子の肩を軽く叩いて、畑中は去った。

（いい人だよね、畑中創太は）

　畑中の後ろ姿を目で追いながら、凜子は思った。

　彼は、特にイケメンという訳ではないが、割と整った顔をしているし、優しそうな雰囲気でどこか愛嬌がある。コミュニケーション力も高いため、誰とでも分け隔てなく交流できて、社内でも華やかな存在だ。

　そして、こんないい男は当然彼女持ちなのだ。凜子の耳に入った噂では、彼は現在可愛い系の彼女と遠距離恋愛中らしい。

　さて、婚活パーティーに申し込み、飲み会に〝参加〟と書いた凜子は、それで満足してしまい、あとはもう婚活の事を忘れていた。そのため、婚活パーティーの流れとか、婚活向きの服装とか、メイクとか、本気で婚活するのに勉強しておかなければならない点をまるっと無視して、会社から帰ったら多肉植物を眺めてのんびりと週末を迎えた。

適当に選んでしまった凛子は知らなかったが、一口に婚活パーティーといっても奥が深いのだ。

人数は、5対5の少人数制から20対20、多いと50対50などというものもある。

そしてさらに、その内容は、ちまたで有名な『回転寿司方式』、つまり、男女が向かい合って座り、会話をし、一定の時間で男性が隣に移動するというものや、仕切りがある個室に女性が待っていて、そこへ男性がやってきて会話をするもの、完全にパーティー形式ですべての時間がフリータイムのものもある。

ソフトドリンクがついたり、お酒を飲みながら話すサシ飲みタイプもある。仕切りがあるところでアルコールを飲みながら話すと、リラックスできるとのことだ。

男性にも婚活にも慣れていない凛子は、一対一で話すのに躊躇い、20対20のフリータイムというパーティーを選んだ。

土曜日の午後に開催されるという凛子が申し込んだそのパーティーは、女性は20歳から32歳まで、男性は25歳から40歳まで（高収入、高身長、高学歴の条件付きだ）という、かなりやる気満々のものであった。

いわば、婚活への熱意が甲子園並みの、プロフェッショナルなパーティーなのである。

女性はスペックの高い男性を狙い、男性は若くて綺麗な女性を狙う。

凛子が初めての婚活パーティーに舞い上がらずにもっと真剣に検討していたら、これほど弱肉強食の世界ではなく自分が有利になるパーティーに申し込んでいたかもしれない。

そう、例えば年齢が30歳以上のパーティーなどである。

　女子トイレで赤井たちが話していた通り、婚活において『若さ』というのはとても強いカードなのだ。30歳以上のパーティーに30歳の凛子が出たらもう最年少というそれだけで会場の女子のトップに出られる……かもしれない。

　しかし、婚活初心者の凛子は何も考えずに参加ボタンを押してしまったのだ。

　二十代前半の女性と同じ舞台に立つ、このパーティーの参加ボタンを。


　そして、土曜日。午後一時時半より、凛子が初トライする婚活パーティーが始まる。

　当日の午前中、パソコンの画面を見ながら凛子は困っていた。

「何を着て行こう……」

　部屋着の代わりに高校の時のジャージを着てしまうくらいであるから、凛子はおしゃれにはまったく自信がない。会社には春夏物三着、冬物二着の洗える地味なスーツを着回して行っていたし、休みの日の外出はデニムスカートかジーパンで、しかもお値段がお財布に優しい量販店のものである。

　参加する他の女性は何を着ていくのだろうとネットで検索してみたものの『三十代の婚活女性にふさわしい服』だと紹介されているような服を凛子は一枚も持っていない。

「好感度が高いのは、女子アナ風？　いやいや、無理だって……フェミニンなワンピースかフレアースカート？　トレーナーじゃダメかな？」

ダメである。胸に鮮やかなブルーで『DO! DO! YOURSELF!』と勇ましいフォントでロゴが印刷されているトレーナーを着て、仮にもパーティーと名のつく場所に参加するなどとは、場違いの極みである。

「婚活相手には外見じゃなく、わたしの性格を見て欲しいんだけど……」

確かに、それはもっともな考えである。

しかし、現実はというと、見た目の第一関門を突破できないと、性格までは見てもらえないのだ。……とまあ、これは女性も同じなので、お互い様であるが。

「……仕方ない、スーツで行くか」

ないものはない。

今からショップに駆け込むという手もあるが、そこまでは気合が入らない凜子は、通勤用のスーツで初の婚活パーティーに挑んだのであった。

いつもの紺色のスーツに白いブラウスを着た凜子は、髪をきりりとゴムでひとつに縛り、時間よりも二十分も早くパーティー会場の受付に来ていた。

「免許証か保険証をお持ちですか？」

凜子のためにバタバタと用意された受付のテーブルでは、凜子のような地味なスーツを着た若い女性が参加料千円を受け取り、免許証と申し込みの名簿を照らし合わせた。

「はい、ありがとうございました」

見知らぬ男女が集まる場なので、本人確認をしっかりしてトラブルを未然に防ぐのが基本的なシステムである。しかし、これでは未婚か既婚かのチェックはできない。

結婚相談所だと、会員は独身証明書の提出を求めるところがほとんどなので、既婚者が入り込むことは難しい。逆に、手軽な出会い系アプリは、年齢、経歴、年収などがいくらでも偽り放題なので、トラブルも多くなる。

「それでは、この紙にプロフィールを記入してお待ちください」

凛子は、胸に付ける番号札とプロフィールカードを受け取り、一瞬手が止まった。

番号の横に『30歳』と大きく年齢が書かれていたのだ。

『今のうちに婚活して男見つけないと』

凛子の脳内に、赤井治代の言葉が蘇（よみがえ）った。

（なるほどね、この事だったんだ。婚活において、年齢の重要さは何よりも大きいんだな）

そう、この瞬間から佐藤凛子は『30歳の女』であって、そこを土台として様々な特徴が付随して男性たちに認識されるのだ。

（うん、がんばろう！）

凛子は気合を入れて、会場に足を踏み入れた。

ビルの一室を借りて、一日数回婚活パーティーが行われているその部屋は、思ったより殺風景であった。部屋の片隅には、白いテーブルクロスがかかったテーブルがあり、そこにドリンクの準備がしてある。

凛子は壁際に行くとバッグからボールペンを取り出し（持ってくるようにと指示があったものだ。ちなみに、忘れた人は受付で申し出て百円で買わなければならない）プロフィールカードを埋めた。

結局、凛子のプロフィールカードは、使用することがなかったのだが。

「それでは、ご自由にアプローチを開始してください！」

主催の会社の男性が開始の挨拶をすると、後は皆思い思いの相手にアプローチし始めてパーティーがスタートした。

出遅れた凛子は周りを見回し、観察した。

女性は、二十代前半の子が半分くらいで、あとは二十代後半と三十代がちらほらいた。男性は、30歳がひとりであとはほぼ三十代半ば、40を過ぎた者も、驚いたことに50歳の男性もいた。

（え？　おかしいよね？　男性は25歳から40歳のパーティーなのに、なんで50歳がいるの？）

凛子から見たら50歳は20も年上になる。もはや、父親の年代だ。

そして、そんな50歳も四十代も三十代も、皆二十代前半の女性を囲んでなんとか話しかけようとしていた。中でも、ピンクベージュのフレアースカートにフリルのついた白いカットソーを着た、可愛らしい感じの女性は大人気で、男性たちに二重に取り囲まれている。

会場に、凜子のようなスーツの女性はいない。皆、ネットで調べた通りの婚活ファッションに身を包んでいる。男性はほとんどがスーツを着ている。

「……あれ、君は参加者なの？」

ぼんやりと会場の様子を眺めていた凜子は、初めて男性に声をかけられて、びくっとした。

「あ、はい」

「そんな格好をしてるから、てっきりスタッフかと思ったよ」

ちらりと男性の番号札を見ると、40歳と書いてある。凜子よりも10歳も歳上だ。

凜子は慌ててプロフィールカードを見せようとした。

「あの……」

「初々しくていいね、がんばって！」

男性はそう言うと、あっさりと去ってしまった。凜子は渡しかけたプロフィールカードをそっと下ろした。

まったく相手にされなかった。

10も歳上の男性に。

彼は、華やかな雰囲気の30歳の女性に近寄り、話の輪に入ろうとしていた。水色のワンピースを着て、笑顔で男性たちと会話するその女性は、コミュニケーション力に長けているようで、その美貌もあって二十代の女性に負けない人気ぶりだ。50歳の男性も、彼女の所から動かない。

「今日はハズレね」

壁際でぼんやりしていたら、今度は女性に話しかけられた。

「比較的高スペック男性のパーティーだっていうから期待したのに、おじさんばっかりじゃないの」

「はあ……」

「やっぱり参加費が千円じゃダメね、この程度よ」

番号に33歳と書いてある女性は言った。やはり、婚活ファッションに身を包んでいる。

「あなた、もしかして初めてなの？」

「はい」

女性は凛子を見て、にやりと笑った。

「そっか……だと思ったわ、そんな格好だし。男受けとか全然考えてないのね。まだ30だからっていっても、これじゃあね」

その女性の少し見下したような言い方に、凛子はむっとして返事をしなかった。

「まあ、精々がんばって。わたしでも初参加は28歳だったのよ。さてと、時間の無駄だから、次に行こうかな」

「次？」

「このパーティーの次に、医者と弁護士が来るパーティーがあるの。これと両方出ると参加費が半額になるのよ」

「そうなんですか」

「出直してこよっと」

そう言うと、女性は会場を出て行った。スタッフには、仕事の電話がかかってきたとかなんとか言い訳したようだ。

（28歳で初参加して、今は33歳。五年間も婚活してたの？）

五年間。

二十代で婚活を始めて、今はもう33歳。

婚活を始めたら一年以内に結婚できるだろうとたかを括っていた凜子は呆然とした。

（すごく美人というわけでもないけど、普通の見た目の人だったよね）

壁際で、凜子はぐるりと会場を見回す。

人気の女性は、数人の男性に囲まれていて、あとはカップルになって話しているのが数組。そして、凜子のようにひとりぼっちになっている女性が何人もいる。

「さて、話も弾んで喉が渇いた事と思いますので、男性の方は女性にお飲み物を渡してください！」

男性たちが飲み物の置かれたテーブルに駆け寄り、カップを持って女性の元へ急ぐ。

だった。

「……」

そして、誰もいなくなったテーブルに、凛子たち数人の女性がのろのろと近づいたのだった。

終了の時間が迫ると、司会の男性が前に出て「それでは、お手元のカードに番号をお書きください。スタッフが集めて、後日マッチングした方に連絡いたします」と告げた。凛子がプロフィールカードを見ると、下にミシン目が入って切り取れるようになっていた。『番号を三つお書きください』と書かれたものが一枚と、『連絡先』と書かれたものが三枚分付いている。

（……どうしよう？　こんなの、使いようがないじゃん）

まさしく『壁の花』と化して、誰にも相手にしてもらえない（もちろん、男性に自分から話しかけるなどということはできない）凛子は、これ以上まだ辱めを受けねばならんのか、と、逃げ出したい気持ちでいっぱいである。

「8番です、よろしくお願いします」

「僕は12番です」

会場内はざわつき、人気の二十代前半女性と美人の30歳女性は、男性たちに囲まれて番号のアピールをされていた。凛子はもう、どの男性が何番だかすらわからない。

どうやら男性は1番から20番が割り当てられているようなのだが、実際には十七人しかいないし、女性の出席者は十八人である。一人が途中で退出（凜子に上から目線で話しかけてきた、33歳の女性だ。このパーティーを見限って出て行った）してしまったから、今は十七人なのだが。

今回のパーティーでは、いいと思った相手の番号を書き、お互いに一致したら改めて連絡がくるシステムだ。その場で発表されるタイプもあるが、このイベントでは後日タイプである。発表タイプと違ってカップルが成立しなかったことがわかりにくいので、マッチングしなくてもダメージは少なめになる。

司会の男性がさらに続けた。

「それとは別に、こちらに連絡カードが付いていますのでお使いください。これは個別にお相手に渡していただいて結構です。ぜひ三枚とも使ってください」

見ると、男性たちはお目当ての女性に「後でカルコで連絡をください、これ、カルコＩＤです」と言って、連絡カードに記入した無料チャット機能が人気のＳＮＳのアドレスを渡していた。

中には、男性にカードを渡す勇ましい女性もいたが、ほとんどの女性は受け身で男性から選んでもらう立場のようだ。

（女は見た目、って事ですかね……）

おしゃれをした女性たちの中で、場違いな自分の姿が悪目立ちしている。凜子は自分がブラックホールの中心になったような気がした。

「あの、すいません」

「はいっ？」

スタッフに、適当に番号を書いた（どの男性とも交流がなかったので、判断のしようがなかったのだ）カードを渡した凛子は、不意に後ろから声をかけられて、驚いて振り向いた。そこには胸の番号札に30歳と書かれている、一度も話していない男性が立っていた。

「全然話せなかったんで、後で会いませんか？　同い年だし」

「え？　えっ、わたし？」

唯一のスーツでない、カジュアルな服を着たその男性は、とても普通の雰囲気だった。パーティーの間は、人気のふたり以外の女性数人と話をしていたようだ。

「この下に、ラクサっていうカフェがあるんですけど、終わったらその前で待っててもらえますか？　他にゆっくり話せる落ち着いた所を知ってるので、案内しますよ」

「あ……はい」

見た目は普通なのに、意外とぐいぐい来る男性である。あまりこういう事に慣れていない凛子は、言われるままに頷いてしまった。

「これ、俺の連絡先です」

彼は凛子に連絡カードを渡すと、片手を上げてから離れた。

「絶対に来てくださいね、待ってます」

（え？　何？　同い年だからってことだけで……わあ、ラッキー！）

　凜子は受け取ったカードを握りしめた。

「それでは、女性の方からの退場になります」

　スタッフの指示で、女性たちは先に会場を出た。これは、パーティーの後に男性が待ち伏せして、女性にしつこく声をかけてきたり後からついてきたりという事があり、それに対して苦情が出たための対応である。結果を待たずにカップルになりそうな場合は、先程の30歳の男性のように他の場所で待ち合わせの約束をして、女性はそこで後から出てくる男性を待つのだ。

　その30歳の男性が視線をあわせてきたので、凜子は軽く会釈した。

（マジだ！　わあ、緊張してきたな……）

　凜子は会場を後にして、お手洗を済ませておこうと、隣の商業ビルの中に入った。ろくに化粧もしていないが、とりあえずリップを塗り直して外に出たら、出口を間違えてしまった。

「あれ？　裏側に来ちゃったかも」

　凜子がきょろきょろしながら裏道を歩いていると、誰かが電話をしている声が聞こえた。見ると、なんとさっきの『30歳』だ。

　凜子は身を隠した。なんとなく恥ずかしかったからだ。そして、立ち聞きしているようで申し訳ないと思いつつ、会話の内容を耳にしていた。

「……なんかもっさりした女だけど、脱がせば一緒だしな」

(……え?)

凛子は固まった。

(脱がす? 脱がすって言った?)

「とにかく、車に乗せちゃえばどうにでもなるから、打ち合わせた場所に回しとけよ。……ビビんなよ。ちょいババアだけど地味でおとなしそうだから、写真を撮って脅せば黙るって。……今回は五人集まるからな、絶対来いよ、来ないと他の奴らにシメられるぞ……」

聞けば聞くほどヤバい内容である。

この『30歳』は、凛子を拉致して仲間と弄ぶ計画を立てていたのだ!

(や……どうしよう……)

足がガクガクして力が入らなくなった凛子は、なんとか来た道を戻った。すると、婚活パーティー会場のあるビルの裏口があった。そこから中に入り、凛子は次のパーティーの準備をしている受付にふらふらと近寄った。

「どうされましたか?」

ただひとり地味なスーツで参加していた凛子は、受付の女性に覚えられていたようだ。

まるで幽霊のようになった凛子の側に来ると心配そうな顔で「ご気分がお悪いんです

か?」と身体を支えてくれた。

「どうしたんだ?」

「あっ、明日名さん。こちらの参加者さまの体調が……」

さっきまでは見かけなかったスーツ姿の男性が、不穏な様子に気づいて眉をひそめながら近づいて来た。明日名と呼ばれたその男性は「失礼」と言うと凜子を横抱きに抱き上げた。

「ひゃっ」

まさかのお姫さま抱っこに、凜子は奇妙な悲鳴をあげてしまった。

「申し訳ありませんが、控え室の方にお連れしますね」

そこには新たな参加者が集まり始めていた。次はハイスペック男性のパーティーが始まるのだ。凜子がいると雰囲気を壊してしまうので、この仕事ができそうな男は強硬手段(?)に出たらしい。

「受付の方は頼むよ」

男性に声をかけられた受付の女性は頷いて言った。

「明日名さん、すみません。その方をお願いします」

あわあわと挙動不審な感じになっていた凜子だったが、どうやらこの男性はスタッフらしいので、悲鳴をあげそうになったのをなんとか押さえ込んだ。

「統括主任を務めさせていただいております、明日名と申します」

「あ、わたし、佐藤凜子、です」

「佐藤さまですか。本日は当社のパーティーにご参加いただきまして、ありがとうございます」

お姫さま抱っこをしながらの会話であるが、これはあくまでも業務の一環、という明日名の態度を見て、凜子はようやく落ち着いてきた。

明日名は危なげなく凜子を運んで、スタッフルームらしい一室に入りそこに置かれた椅子に下ろした。

「だいぶ顔色が良くなられたようですね。よかったです。どこか痛みはありますか？」

「いえ……あっ、違うんです！　あの、明日名さん、さっきの、男が、男が、その、怖いことを」

「え？　ご気分が悪いのでは……」

「違うんです！　このカードをくれた人が、下で待ってるって、でも、電話していて、それで、車でわたしを……」

「落ち着いて、ゆっくりで大丈夫ですからね」

「車で……うっ、ううう……」

恐怖のあまり、とうとう凜子は泣き出してしまった。

明日名は、動揺していた凜子のしどろもどろの説明を辛抱強く聞いていたが、その内容がわかるにつれて段々とその表情を険しくしていったのであった。

「佐藤さま、申し訳ありませんが少々中座させていただきます」

凜子に箱入りのティッシュを「どうぞお使いください」と渡すと、統括主任の明日名は立ち上がって部屋を出て行った。男性がいなくなったので、凜子は盛大に鼻をかんだ。

そして、入れ替わりに受付にいた女性が「失礼いたします」と声をかけてから部屋にやってきた。

「これを、よろしかったらどうぞ」

優しそうな表情をした彼女は、お茶のペットボトルとカフェオレの缶を、ティッシュを大量に消費中の凜子に渡した。さらに、そっと脇にゴミ箱を置いてくれる。どうやら気がきく女性のようだ。

「甘い飲み物が大丈夫でしたら、温かいカフェオレを飲むと気持ちが落ち着きますよ」

「ありがとうございます」

凜子はゴミ箱にティッシュを捨てると、受け取ったカフェオレの缶を開けて、早速飲んだ。女性の言う通り、甘いカフェオレが喉を通ると、なんとなく肩の力が抜けた。

「美味しいです」

「良かった」

女性は、ホッとしたように笑って言った。

「嫌な目に遭(あ)ってしまいましたね。でも、もう大丈夫です」

「はい」

「佐藤さまの身の安全はわたし共がお守りしますので、どうぞ安心なさってください」

きっぱりと言い切られた事で、凜子の心の中にある恐怖感が薄まった。

地味なスーツの女性は、特に際立った美女というわけではなかったが、愛嬌があると言うのだろうか、笑うとほっこりとなる雰囲気がある。ふと左手を見ると、彼女の薬指には指輪がはまっていた。

既婚者である。

なるほど、気が効くわけだと凜子は納得した。

凜子の視線に気づいた女性は、「ああこれ」と言って指輪に触れた。

「現場でご一緒させていただくうちのスタッフは、皆既婚者なんですよ」

「そうなんですか。じゃあ、さっきの人も……」

「はい、明日名も結婚しています」

そうなのだ、凜子は人生初のお姫さま抱っこをされたが、王子さまにはすでに奥さまがいたのだ。

(いい感じの人だったけど、そういうオチか……)

内心で脱力する凜子に、受付の女性は「お見合いに独身者が関わるとトラブルになりやすいので、これが我が社の方針なんです」と言った。

と、そこに明日名が戻ってきた。凜子が確認すると、彼は確かに結婚指輪をしていた。

凜子は（今度から、男性を見たらまず指輪を確認しよう）と決心した。

　凜子には、無駄にときめいている余裕はないのだ！

　スマホを握ったままの明日名は凜子に言った。

「失礼いたしました。実は、先程の男たちについてですが……このところ、婚活パーティーの参加者を誘い出し、乱暴をはたらこうとする男たちがいるとの情報がありまして、我々も警戒をしていたのです。佐藤さまの情報で早速対応させていただきました」

「対応……ですか？」

「はい。あらかじめ、然るべき手段を取れるように話を通してありましたので、そちらに」

　目を細めた明日名は「大丈夫です、違法な事はしませんし、佐藤さまにご迷惑をかける事もございません」と言った。

「ここだけの話ですが、すでに警察にも被害の相談がされていまして、この業界全体で対応策を検討しておりました。今回の佐藤さまの協力で、犯人が特定できましたので、おそらくもうこれ以上の被害は出なくなると思われます」

「そうですか」

　あの男たちが捕まるならば、安心できる。

「せっかくご参加いただいたのに、このような事になってしまい、大変申し訳ございませんでした」

「申し訳ございませんでした」

「え、あ、いえ、そんな」

明日名と親切な女性スタッフが深々と頭を下げたので、凛子は慌てて言った。

「頭をあげてください」

「しかし……」

「いいんです、ほら、わたしはこの通りの婚活初心者で、どっちにしろ相手が見つかるとか、期待なんてできなかったんですから」

凛子は、情けない気持ちで笑った。

「本当に、こんななんで……スタッフに間違えられたくらいなんで」

明日名と女性スタッフは、地味なスーツに身を包み真っ直ぐな黒髪を後ろで結んだ、とても婚活パーティー参加者に見えない凛子の姿をじっと観察しているようだった。

女性スタッフが言った。

「失礼ですが、佐藤さまは婚活パーティーは初めての参加でいらっしゃいますの？」

「はい。婚活自体、これが初めてで……ネットで見つけて来てみたんです」

「そうですか」

女性スタッフは頷いた。

「確かに、婚活を成功させるにはある種のテクニックのようなものが必要なんです。佐藤さまは、まだそれを活用されていないご様子ですね。つまり、」

彼女は、人差し指をぴっと立てて力強く言った。

「今後のやり方次第で、婚活の成功率を大幅にアップする事が可能なのです！」

「大幅アップですか！」

「はい、大幅アップです！」

凛子は、感激していた。

（もう終わりかと思ってたけど、モテない人生を進むしかないと思っていたけど、わたしにはまだ可能性があるんだ……）

「佐藤さま」

「はい？」

何やら考え込んでいた明日名が、凛子に言った。

「この度の事態のお詫びに、我が社で佐藤さまの婚活のバックアップをさせていただきたいと思います」

「え、本当ですか？」

「はい」

明日名は凛子に向かって言った。

「佐藤さま専用の婚活プロジェクトを行います。後日、詳しい説明をさせていただきたいと思いますので、よろしくお願いいたします。連絡は、こちらの携帯ナンバーでよろしいですか？」

「あ、はい」

「これは、わたしの名刺です。この番号よりご連絡いたしますので、数日お待ちください」

「わかりました、けど、婚活プロジェクトって……」

「いえ、そんなに大規模なものではありませんから、構える必要はございません。佐藤さまに婚活の知識を身につけていただき、我が社で行うイベントに参加してもらおうと思います。もちろん、ご成婚されるまで、すべての費用は我が社で持ちます」

「それは、ずいぶんと太っ腹ですね！」

「ご迷惑をかけてしまったお詫びですし、もし良かったら、お知り合いに勧めていただければ、という希望も込めておりますので」

爽やかに笑う明日名に、凛子は「もちろん、結婚できたらみんなにお勧めしますよ！」と笑顔で答えた。

「では、佐藤さま、楽しみにお待ちくださいね」

こうして、凛子の『婚活プロジェクト』が開始されたのであった。

第三章　師匠！　イケメン過ぎます！

凛子が初めての婚活パーティーで散々な目にあってから、数日が過ぎた。

パーティーの責任者であった明日名は、この事態を当然ながら重く受け止めていて、毎日謝罪のメールを送って寄越し、凛子の『婚活プロジェクト』の準備についての報告をしてくれる。そのため、あまり男性に免疫のない凛子は、うっかり彼を好きになってしまいそうな気持ちをぐいっと押し込めるのが大変だ。

高校の時のジャージに身を包み、凛子は今日もスマホを握りしめて呟く。その画面にはもちろん、明日名からのメッセージが表示されている。

「凛子、勘違いしちゃダメだ。あの人は既婚者なんだからね。でもって、明日名さんはあくまでも責任を感じて親身になってくれてるだけなんだから。ちょっとお姫さま抱っこをされただけで、ポーッとなってたら……お、お姫さま抱っこだなんて……まさか生きているうちに経験するとは……ああ、明日名さん……王子さま過ぎる……」

凛子は、頭の中でお姫さま抱っこシーンをプレイバックして「はあ……なんて尊い想い出なんだろう……ありがとう、明日名王子……」と、天に向かって合掌するのであった。

佐藤凛子、30歳。

夢見るモブ乙女である。

そして、そんな彼女に運命の日がやって来た。

そうだ、とうとう『婚活プロジェクト』の発表の日だ！

明日名に尋ねられていそいそと都合の良い日を連絡した凛子は、会社帰りに指定されたホテルに向かった。

そう、婚活といえば、ホテルのラウンジでのお見合いである。定番中の定番、鉄板中の鉄板だ。初めて顔を合わせた男女が親交を深め合うのには、ざわざわした街角のカフェよりも、ゴージャスな雰囲気の漂う静かなホテルラウンジが適している。

確かに、価格設定は高い。ケーキセットが軽く千円を越える。

しかし、ホテルにふさわしい服に身を包み、高級な内装や良い景色などというロケーションに後押しされると、初対面の男女も『ちょっとおつきあいをしてみようかな』という気分になりやすい。静かなラウンジでは、緊張しながらも落ち着いた会話ができるのだ。

ちなみに、初回のお見合いに適した時間は一時間だ。短いようだが『もう少し話したいな』くらいでお開きにする事が次回のデートにつながるのだ。

相手の事を知りたいと考える気待ちを育てる。そして、三度は会ってみる。回数を重ねて、ゆっくりとお互いの存在に慣れていく事が大切だ。初対面で（ないな）と思う相手でも、三度あったら意外と気にならないと感じる事も多い。一度で縁を捨てるのはもったいない。交際を続けるかどうかを判断するのは、それからでも遅くないのだ。

婚活パーティーを主催したのは、結婚相談所も兼ねている会社であり、明日名はいろいろな業務を手広く引き受けているため、彼はこのような婚活についての知識も深いのだ。

そんな婚活界のデキる男である明日名は、おそらく凛子は高級ホテルのラウンジにはあまり縁がないだろうと推測し（そしてそれはズバリ当たっていた）彼女に経験を積ませるために、あえてこの場を選んだのだ。

仕事を定時であがった凛子は、ホテルの上層階にあるラウンジに到着して、そのきらびやかさに足を止めた。

（なんと！　ここはリア充の棲む異世界か！）

彼女は通勤用の地味なスーツを着ているので、服装的には問題ない。

しかし、普段はリーズナブルなカフェにしか行っていない凛子には、広い空間にテーブルとソファが並び、おしゃれなピアノの生演奏の曲が流れるシャンデリアの光の下のラウンジは、ハードルが高いのだ。

おまけに、窓の下には夜景が見える。ロマンチック全開な、リア充ロケーションである。

（うわわわ、明日名さんはどこだろう？）

胸にバッグを抱えて防御力を上げた凛子は、落ち着いた雰囲気のラウンジを見回した。

（明日名さーん、明日名王子ー、わたしの王子さまー）

凛子よ、違う。

すると、凛子の姿を見つけたラウンジの奥で背の高い男性が立ち上がり、彼女に向かってすっと手をあげた。

「はうっ、王子！　なんてスマートな振る舞い！」

離れていたため、そんな凛子の呟きが届かなかったのは幸いである。

5センチヒールの黒いパンプスを履いた凛子は、ちょこちょこと歩いて救世主明日名のテーブルに近づいた。そして、そこに同席している若い男性を見て、驚愕した。

（ひいっ！　なんですと？　この高貴なお方はどちらさま？）

内心でおかしな事を言ってしまうのは、その男性が凛子が見たことのない程の端正な顔をしたイケメンだったからだ。心臓をバクバクさせながら、凛子はイケメン、王子、イケメン、王子と視線を左右に動かした。

「佐藤さま、お仕事お疲れ様です。さあ、こちらにどうぞ」

丁寧な物腰で明日名に上座へと誘導されて、頬を染めた凛子はソファにかけた。

「ここは、軽い食事もとれるんです。何か苦手な食べ物はありますか？」

「いえ、なんでも美味しく食べる派です！」

背筋をピンと伸ばして、凛子が言った。

そこへウェイターがやって来た。

「いかがいたしましょうか？」

「では先程の注文と、……佐藤さま、飲み物はどうしますか？　コーヒー、紅茶、そしてお勧めの、ノンカフェインのハーブティーもありますよ」

もう夜なので、カフェインを多量に摂ると睡眠の質が落ちる。特に女性にとっては、良い睡眠は美容と健康に関わる重要なファクターなのである。睡眠不足になると身体が脂肪を溜め込もうとするため、スタイルを維持したい女性にとっては良い睡眠を意識する事は大切だ。さすがは婚活のプロである明日名である、その辺りの知識に抜かりはない。

「ビタミンも豊富でお肌に良いハーブティーだそうですから」

「あ、それではハーブティーをお願いします」

凛子は迷わず『女性にお勧めの美肌ティーです』と飾り文字で書かれた、赤いハーブティーを頼んだ。


飲み物が揃うまでちょっとした世間話を凛子に振った明日名は「それでは、遅くなりましたが佐藤さまに彼を紹介しますね」と、それまで黙ってふたりの会話を聞いていた、サラサラ黒髪のイケメン男性を示した。

「彼が今回のプロジェクトを主に担当する『婚活コーディネーター』流聖氏です」

おしゃれなスーツを着て、まるでモデルの様な外見の流聖は言った。

「初めまして。流聖だ」

微かな笑みを口元に浮かべながら、イケメン男性は凛子を見て「これはなかなかやり甲斐がありそうだな……」と呟いた。

「初めまして、佐藤凛子です」

「明日名から、お噂はかねがね」

流聖の言葉に（どんな噂やねん！）と内心で突っ込む凛子。

「あの、『婚活コーディネーター』さんていうと……」

凛子は明日名の顔をちらっと見ながら言った。

「いえ、そんなに堅苦しくお考えになる必要はありませんよ」

明日名は、いつものようににこやかに言った。

「彼は、佐藤さまに婚活のちょっとしたテクニックを教える、そうですね、歳上の友人の様なものだとお考えいただければいいかと……」

「ということは、師匠ですね！」

凛子は、両手をグーにして言った。

「この方は、厳しい婚活戦場を生き抜ける様に、わたしを鍛えてくれる師匠なのですね！」

「いや、師匠ではなくて、優しいお兄さんくらいの……」

「そうだ」

流聖が、明日名を遮って力強く言った。その澄んだ声に凛子は（うほおおっ、流聖さんてば声までイケメン！　これはモテ神降臨なのか！）と感嘆した。

「いや、流聖、ちょっ」

「婚活は結果を出してこそだ！　結婚できない婚活は、底のないカップだ！」

「役に立ちませんね！」

「穴のないストローだ！」

「吸えませんね！」

「甘くないケーキだ！」

「それはパンですね！」

　頷き合うふたりをぽかんとした顔で見ていた明日名は、「あー……」と言いながら手を額に当てた。

「誰が上手い事を言えと？　いえ、佐藤さま、違うんです、流聖……氏は」

「俺がお前を、立派な婚活戦士に育ててやろう。目標は成婚だ」

「はい！」

「費用は明日名が持つ」

「はい！　ありがとうございます！」

「がんばってついてこい」

「どこまでもついて行きます！」

　凛子は、流聖が差し出した手を握り（イケメンと握手！　ごちそうさまです！）と思いながら、瞳に決意をきらめかせた。

「佐藤凛子、良い目をしている」

　流聖も、その手をぐっと握り返した。

明日名は「いや……ちょっと違うんだけど……目的地は同じだからいいのかな……」と首をひねった。

「本格的なプロジェクト開始は、次の休日とする。それまでは、充分英気を養っておく様に」

「はい、師匠！」

「そして、俺の事は『流聖』と呼べ」

「えっ、そんな、初めて会う男性を名前で呼ぶだなんて……」

凛子は照れて、挙動不審気味にもじもじする。

「覚えておけ佐藤、男女交際の基本は名前呼びだ。まずは俺で慣れておけ。そして俺は今からお前を『凛子』と呼ぶからな」

「はうっ、いえ、はいっ」

イケメンに名前呼びされた凛子は、それだけで大きな打撃をくらった。

「流聖、じゃあわたしの事も、名前で……」

「明日名は明日名のままでいい。パートナー以外に名前呼びをしてはならない」

「はい、りゅ、流聖さん！」

「え、仲間はずれ？　このプロジェクトの企画をしたのに……」

明日名は、少し寂しげに呟いた。

凛子は、改めて自分の置かれた状況を確認し、カップを持つ手を震わせた。

右にはスーツの明日名王子。

左には同じくスーツのイケメン流聖師匠。

柔らかな物腰で、女性を包み込むような安らぎを与える王子は、凛子を安心させようと優しく微笑みかけ、切れ長の瞳にサラサラの黒髪の美形師匠は、乙女のハートを貫くような視線で弟子の凛子を観察している。

しかも、ふたりとも女子の好感度一位のスーツ姿だ。

困った婚活男子はとりあえずスーツを着ていけ！　と言われる、スーツ姿なのだ。

困らないふたりが着ると、その魅力は天井知らずなのだ。

そして、前門のイケメン、後門のイケメンという、ある意味で絶体絶命の凛子が座るのは、きらびやかで豪華な高級ホテルのラウンジだ。ソファの生地からしてファミレスとは違うのだ。

彼女のお尻をしっかりふんわりと受け止めるだけでなく、複雑な織り模様がセレブ感を漂わせ、ソファまでもがイケメンなのだ！

持ち上げたカップに口をつけることもできずに、またソーサーの上に戻した凛子を見て、明日名が声をかけた。

「そんなに緊張しないで大丈夫ですよ、佐藤さま」

しかし、ブラックコーヒーをＣＭのモデルのように飲みながら、流聖は言った。

「いや、充分緊張しておけ。そして、この状況に慣れろ」

「流聖、それはちょっと」

「凛子、環境に呑まれるな。男に見つめられたら見つめ返して笑顔を浮かべるくらいの余裕を身につけろ」

「ふ、ふぁい！」

凛子は笑顔を作ろうとしたが、なぜか頬の肉に重力が普段の十倍くらいかかっているらしく、結局は口の端をヒクヒクさせただけに終わった。

しかし、困り顔の凛子に、流聖は頷いた。

「よし、その調子だ」

「え？」

「お前は慣れない環境に緊張しているから、今は笑えないだけだ。だが、これから経験を積めば、いつの間にか自然に笑っている自分に気付くだろう」

「流聖さん……」

「俺の言葉を聞いて、素直に実行しようとしたその姿勢が大切なんだ。お前ならできる」

イケメンは、口の端に笑みを浮かべ、ブラックコーヒーを飲んだ。

凛子はしばしその姿に見とれていたが、やがて赤いハーブティーの入ったカップに手を伸ばした。そして、そっと一口飲んで、顔を輝かせる。

目を細めて、彼女を見ていた流聖が言った。

「美味（うま）いか？」

「はい。少し酸味があって、いい香りがして、とても美味しいです」

凛子は、流聖に向かって、にこっと笑った。

流聖は、そんな凛子に頷いて「そうか、それは良かったな」と返事をした。

緊張を緩め、笑顔を見せることができた凛子を見て、明日名は、心の中で呟いた。

（流聖……さすがだ。さすが、付き合った女性をすべて幸せな結婚に導いた男。俺の人選は間違っていなかった）

そしてさらに。

（……こんなにカッコいいのに未だに独身の……気の毒な友人よ……）

どうやらイケメン『婚活コーディネーター』には、悲しい事情がありそうだ。


「すっご、綺麗！」

運ばれてきた料理を見て、凛子は驚愕した。

「ミッドナイトハイティー『ジュエル』でございます」

テーブルには、三段になった、アフタヌーンティーでよく見られる台が置かれた。三枚の皿の上には、手の込んだ料理が小さな器に入って、一人前ずつ、美しく盛りつけられている。

凛子の驚く姿を微笑ましげに見ながら、ウェイターが説明した。

「上の段より、前菜、副菜、メイン、そしてこちらのお皿にはデザートが盛り合わせてございます。この『ジュエル』は、通常のミッドナイトハイティーよりも充実した内容となっておりますので、ディナーの代わりにも充分なり得るボリュームでございます。宝石に見立てたカラフルな色合いと、素材を生かした様々な調理法で引き出された味わいを、ごゆっくりお楽しみください」

「うわあ……うわあ……」

「料理の詳細は、こちらのカードに書かれておりますので、どうぞご覧になってください」

テーブルには、厚手の紙でできたメニューカードが置かれていた。

「すごいです。こんなお料理、初めて食べます」

「佐藤さまに喜んでいただけて、良かったです」

明日名は、子どものように瞳を輝かせる凛子の姿に満足しながら言った。

「凛子、この先アフタヌーンティーの席に着く事もあるだろうから、今夜基本的な作法を覚えておけよ」

「師匠、作法があるのですか？」

「ああ。しかし、難しいことではない。一番大切なのは、今の凛子のように喜んで料理を楽しむ事だからな。その点では、お前は合格だ」

「はい、師匠！」

「では、せっかくの料理だから、リラックスして味わおう。ウェイターが説明した通り、上の前菜から順に食べていけばいい。ちなみに、アフタヌーンティーは盛り付けが逆で、上の段にデザートが来る。下から食べていけばまったく問題ない」

「はい！」

こうして凛子は、宝石のようにきらめく美味しい料理を「わあ、この海老、すごく美味しいです」「蟹と帆立のリゾットは、見た目も味もゴージャスです！　キングオブ魚介です！」「ふおおお、ローストビーフがお口でとろけますね」「ビーフシチューはシチューの王様です」「フルーツムース、七色の層で虹みたい！」「師匠、このチョコレートの香り高さは、只者ではありませんよ！」と、感嘆しながら楽しく完食したのであった。


「美味しかったです。お腹いっぱいです」

食後の飲み物を飲みながら、凛子はほおっと満足のため息をついた。

「こんな素敵な場所で、こんなに綺麗で美味しいお料理が食べられて、まるで竜宮城に迷い込んだようですよ！　浦島凛子と名乗ろうかと思いましたよ！」

明日名がぷっと噴き出し、「失礼」と口元を押さえた。

「さて。落ち着いたことだし」

「落ち着けません！」

「落ち着け」

「はい」

凛子は背筋を伸ばし、今度はリラックス効果のあるというイエローのハーブティーをゆっくりと飲んだ。明日名は「え？　調教？　流聖は腕利きの調教師なのか？」と、失礼な事を口走っている。

「凛子、ここで交換するものがあるだろう？」

「交換、ですか？　……あっ！」

凛子はバッグをごそごそと探ると、名刺を取り出して立ち上がり、両手で流聖に差し出した。

「遅くなりまして、申し訳ございません！　わたくし、佐藤凛子と申します！」

九十度に身体を降り、そこで静止する。

「ち・が・う」

「え？」

差し出した名刺を指一本で押し返された凛子は、そのまま頭を上げ、思ったよりも流聖の顔が近い事に気付いて「ほえっ」と奇声を上げる。

（た、端正すぎる！　師匠のご尊顔は、こんなポイズンアップルが近くで見てはならない！　なぜなら、鼻血が出るから！）

幸い、鼻血は出なかった。

「座れ」

なぜか凛子の顔をするっと撫で（な）てからさらに顔を近づけ「ひょえっ」と奇声を発させた

後、流聖は人差し指でちょいとソファを示した。『イケメンタッチ攻撃』を受けた凛子は、そこにぽふっと砕けた腰を落とす。

（びびびびっくりした！　近かった！　超近かった！　うはあ、イケメンのアップは凶悪な攻撃なり！）

ソファの上で真っ赤な顔をしている凛子を、流聖はちらっと見て笑う。その瞳に大人の色気を感じてしまい、凛子は脳内が沸騰するのではないかと思うくらいに身体が熱くなった。

「交換するのは、これだ」

しかし、流聖は何事もなかったような顔をしてスマホを取り出し、言った。

「カルコ……ＳＮＳのチャットアプリを知っているな？　あのアプリは入っているか？」

「あ、は、はい、一応、入ってはいます」

あまり使っていなかったが。

「では、俺とＩＤを交換するぞ。いいか、婚活では不用意に名刺を渡すな。カルコなら簡単にブロックできるから、良く知らないうちはこれで連絡を取るんだ。そして、信用するまでは個人情報は極力漏らさない。最寄り駅も教えない事。わかったな？」

「はい」

凛子は、婚活パーティーで遭遇した恐怖の事件を思い出し、流聖との接近で舞い上がった心が冷えた。

出会い方によっては、危険もあるのだ。

しかし、リスクを恐れて家にこもっていたら、婚活などできない。

「カルコの上手い使い方も後で教えるからな。しっかりと覚えろよ」

「……はい」

「あと、アイコンに、変なキャラを載せるのはよせ」

「……サボテンの妖精サボりんは、駄目ですか」

「駄目だ。サングラスに棘だらけの怪しい筋肉男のアイコンが、男を呼び寄せると思うか？」

「これっぽっちも思えませんね」

流聖の、カッコいい後ろ姿のアイコンに見惚れながら、凛子は素直に頷き、サボりんとの決別を決心したのだった。

駅の改札で、凛子は明日名と流聖に向かって頭を下げた。

「今夜はどうもありがとうございました」

「ここで大丈夫ですか？　本当に家まで送らなくても？」

明日名の言葉に、凛子は頷いて言った。

「はい。まだ時間も早いですし、電車一本で帰って駅からちょうどバスが出ます。うちのすぐ前がバス停なんですよ。時々お掃除するくらいのすぐ前で……あ、それはともかく、残業でもっと遅くなる事だってありますし、こんな早い時間なら全然大丈夫なんです」

なんて親切な王子さまでしょう、と思い、凛子は明日名に向かってほにゃっと笑った。

どうやら、ミッドナイトハイティーの魔法で、凛子はイケメンコンビの前でも笑えるようになったらしい。

凛子の言葉に、明日名は頷いた。

「そうですか。それでは、お帰りに気をつけて……おい、流聖」

「無事に家に着いたら、カルコで連絡しろよ」

両手を伸ばしてほっぺたを挟み、凛子の笑顔を自分の方にぐいっと向けた流聖が言った。

「凛子、明日名にはそんなに笑いかけるな。こいつは通りすがりの男だ。そして、俺はお前が名前呼びしていい男だ。わかるな?」

「えー、でも、明日名さんにはお世話になってるし」

「わかるな?」

「わかりました」

顔をむぎゅっと潰されて、凛子は素直に返事をした。

「それでは師匠、後で連絡しますね」と言ってふたりにもうひとつお辞儀をすると、凛子は解放されたほっぺたを擦りながら改札の中へと入って行った。

「流聖、どうだ? 佐藤さんは、気立てが良い女性だと思わないか?」

「いいな。実にいい」

明日名の言葉に、腕組みをしながら凛子の後ろ姿を観察していた流聖は言った。

「光るものを持っていて、しかし自分の見せ方をまったくわかっていない。調教し……磨き甲斐のある弟子だ」

「今、調教って言っただろ。んで、弟子かよ」

お仕事モードでなくなった明日名は、砕けた口調で突っ込んだ。

そう、実は、明日名と流聖は友人同士なのだ。

「確認するまでもなさそうだが、この『婚活コーディネーター』の仕事を引き受けてくれるか？」

「ああ」

本業は売れっ子のウェブデザイナーの流聖は、明日名に言った。

「まさか、本当に人間を『デザイン』させてくれるとは思わなかったな。凛子は俺の初デザインにふさわしい、なかなかの素材だ」

「それなら良かった。っていうか、初デザインって……調教よりはましだけど……」

明日名は、ある一点を除いては恵まれている友人を見た。

流聖は、モデルのスカウトを何度も受けている端正な外見を持ち、成績もスポーツもなんでも優秀、性格も申し分なく、仲間内での評判がいい男だ。現在は天才ウェブデザイナーとして活躍中で、厳選した仕事をマイペースでこなしているため、同世代でもかなりリッチな方である。

そんな流聖だから、女性にもモテる。

非常にモテる。

それなのに……。

「……付き合っているわけじゃないから、凛子の魅力を引き出して、気持ち良くいい結婚相手の元に送り出してやる。安心しろ」

「流聖……」

そうなのだ。

流聖と付き合う女性は、なぜか皆、魅力的に変身した挙句、運命の恋人の元に旅立ってしまうのだ！

『ごめんなさい。わたしは流聖の隣に立ち続ける自信がないの』

『一緒にいて楽な人と結婚したいから』

『わたしの事をわかってくれる、運命の相手と出会ってしまったのよ』

『彼は魂のパートナー、ツインソウルだったの！』

美貌を鼻にかけるようなやや高飛車な女性と付き合っても、慎ましやかなおとなしい女性とつきあっても、なぜか終わりが『流聖には、わたしよりももっと素敵な女性が似合うわ』と、こうなるのだ。

流聖が、あまりにもイケメンだからなのか？　それとも、彼の本質を理解してくれる女性と運良く付き合えないからなのか？

そんな彼は、32歳のシングル男性だ。

絶賛彼女募集中なのだ。

「明日名、そんな顔をするな。まだ俺の運命の相手に会ってないだけ、それだけだから」

「流聖……」

流聖は、少し寂しげに微笑んだ。

「だからそんな顔をするなって。お前が先にゴールインして可愛い奥さんとの間に可愛い子どもができた事なんて、これっぽっちも羨んでないから」

「流聖……」

「ああ、俺は全然大丈夫だ。そうだ、うんと歳下の女の子を育てて、俺の隣にいることに慣れさせるというのはどうだろう？」

「流聖……それは犯罪だ……」

「平安時代ならできたんだろうけどなあ……誰か、俺の婚活をコーディネートしてくれないかな……」

悲しいイケメンは、あまり星の見えない夜空を見上げた。明日名は親友の寂しげな背中を見て、心の中で（全然大丈夫じゃなさそうだが……流聖、強く生きろ！）とエールを送った。

そんな流聖の姿に、道行く女性たちはうっとりと見とれて「ねえ、あの人、背がすらっと高くてすっごいイケメン！　芸能人かな？　それともモデル？　今撮影中かな」と囁き合ったが、その中にも彼の運命の相手はいないようだった。

「さてと、師匠に連絡しなくっちゃ！」
家に帰り着いた凛子は、スーツのままでスマホを出し、カルコの画面を開いた。
「ええと……師匠、じゃなくて」
『流聖さん、今夜はありがとうございました！
こんな素晴らしい夜は初めてです！
お料理も素晴らしかったし、
流聖さんという素晴らしい師匠に出会えて、
不肖佐藤凛子、
この上なく幸せに存じます！
つきましては、
今後行われる師匠の特訓にも
前向きに取り組む所存である事を
ここに固い決意と共に
述べさせていただきたいと思います！』
思いを込めて、凛子はカルコを送った。

すぐに返事が返ってきた。

『不合格』

「へっ？」

スマホの画面を見て、凛子は固まった。

「不合格ですと⁉　まさか、もう破門に……」

『流聖さん、不合格とはどういう事ですか？

わたしの何がいけないんですか？』

『お願いします、何でもしますので、
教えてください』

『破門にしないでください。

わたしには、もう流聖さんにおすがりするしかないのです』

『流聖さん』

『流聖師匠』

『落ち着け』

流聖から、一言返ってきた。

『これが落ち着いてあられまふか』

動揺して、誤字付きで送ってしまう。

「どうしよう、何がいけなかったんだろう、別れる時は機嫌がよさそうだったのに、どうしよう⁉」

再び畳み掛けるようなメッセージを送ろうとした凛子に、また『落ち着け』が戻ってきた。

「落ち着けって、言われても、落ち着けって……」

凛子は泣きそうな気分になり、スマホを置いてスーツを脱いだ。きちんとハンガーにかけ、部屋着（という名のジャージ）に着替えて、水をコップ一杯飲み干すと、再度スマホに向かった。

「落ち着けって言われても！　落ち着けって……あ」

凛子はスマホに入力した。

『無事に帰宅しました』

『よし』

「あー、良かった！」

凛子は喜び勇んでまた機関銃のようにスマホをフリックしようとしたが、ふとその手を止めた。

「師匠は、落ち着けって言ったよね」

彼女は立ち上がり、浴室に行って湯船にお湯を張ることにした。

戻って来ると、流聖からメッセージが来ていた。

『ＳＮＳはあくまでも連絡の手段だ。大切な事は会った時に話せ』

凛子は『はい』とだけ送った。

しばらくしてから、また一言来た。

『送るペースは男に合わせろ。前のめるな』

「前のめる？　……ああ、なるほど」

自分の送ったメッセージの文字で埋め尽くされた画面を見た凛子は「こりゃ前のめっとるわ」と呟いた。

『はい』

少し間を置いてから凛子が返事を送り、そのままスマホを放置していると、流聖からまた返事が来た。

『次の休みはいつだ？』

考えた末、これは『業務連絡』だから速やかに返事をしてかまわないな、と思って送る。

『土曜日です』

『午前十時に、さっき別れた改札に来られるか？』

『はい』

『では、土曜日に』

『はい』

凛子が、やけにあっさりした画面を見ていると、流聖から『合格！』というスタンプが送られてきた。

「はうっ、こ、このスタンプは、サボりん！」

サングラスをかけた棘だらけの筋肉サボテンが、サムズアップしているスタンプを見て、凛子は胸が震えた。

「師匠……わたしがサボりんを好きなのを知って、わたしのために……師匠にまったく似合わない、他に使いようがない『サボりんスタンプ』を、わたしのためだけにゲットしてくださったのですか？　尊い……尊いスタンプをありがとうございます、師匠……」

スマホを胸に押し当て、凛子は流聖に向かって祈りを捧げた。

「好きになってはいけない方なのに……流聖師匠は素敵過ぎます！　せめて、せめて弟子として、しばらくお近くにいさせてください。あと、サボりんのプロフィールアイコンはすぐに変えます！」

第四章　さあ、レッスンを始めよう！

「師匠、本日はよろしくお願いします！」

「ああ、しっかりがんばれ」

午前十時、人が増えてきた駅の改札の前の待ち合わせ場所で、身体を九十度に曲げたスーツ姿の地味な女性と、軽く頷く若いイケメン男性の組み合わせを、道行く人たちが怪訝そうに見た。

いよいよ今日から、本格的に凛子の『婚活プロジェクト』が始動するのだ。何を着たらいいか迷い、結局通勤用の地味なスーツとパンプスに、黒い鞄を持った凛子と、ジャケットを羽織っているが、カジュアルなシャツにデニム姿の流聖は、いささかミスマッチなカップルであった。

（師匠の脚、長っ！）

しかし、マイペースな凛子は、呑気に流聖の長い脚に感嘆している。

「今日はまず、凛子の外見を整えていこうと思う」

「わかりました！　ビフォーアフター的なアレですね、マイフェアレディ的な、プリ〇ュアの変身的な」

凛子は期待でわくわくした。

いよいよ今日から凛子は生まれ変わるのだ。

毒林檎ではなく、人間に！

いや、違った。

婚活パーティーで、男性とマッチングできる女性に！

しかし、流聖は言った。

「今日だけ着飾って記念写真を撮って終わり、みたいなものじゃあないぞ。それでは成婚には結びつかないからな」

「は……そうなんですか？」

「当たり前だ。一瞬変わって元通りでは、何の意味もないだろうが」

「ひっ！」

流聖は、凛子のほっぺたをぐにぐにと揉んでから、目の前に長い指を二本、出した。

「これから手を入れていくのは、見た目、そして中身だ。見た目が良い女性と結婚したいだけなら、その男は美しさを失った時点で妻を捨て、若く美しい女性と再婚するだろう」

「……酷い」

「性格の良い女性と結婚したら、温かい家庭を築き、幸せに暮らしていくが、妻に女性を感じずに他の女性と恋愛と称して浮気するかもしれない」

「……クズ」

「そうだな。しかし、逆はどうだ？　経済力のある男性と結婚した女性が、夫が病気で失業したら捨てるのは？　性格は良いが生理的に嫌いな男性と結婚した女性が、ときめきを求めて不倫をするのは？」

「……」

「凛子は、なぜ結婚したいんだ？　凛子が目指すのは成婚だ。だが、結婚をした夫婦が、無事にゴールインしたからといって幸せになるとは限らない、という現実を、お前はどう考える？」

「……すみません。そこまで考えていませんでした」

眉をへの字にした凛子を見て、流聖はふっと笑った。

「ゆっくり考えろ。宿題だ。じゃあ、行こうか」

「はい……」

「どうした？」

不安げな凛子に、流聖は尋ねた。

「外見はですね、人様にお任せしたら、そこそこ結果が出るとは思うんです、わたしのレベルの低さは痛感していますし」

なにしろ『レベル・高校ジャージ』だ。

「でも、内面は……カウンセラーの所に行って、性格改造なんて事をするんでしょうか」

「しない」

「は？」

それでは、さっきと言う事が矛盾しているのでは？　と、凛子は背の高い流聖を見上げた。

彼は首をひねる。

「性格の改造なんて、いったいどこから出てきたんだ？　昔のアニメか？」

「嫌いではありません……じゃなくって、わたしの内面はどうするんですか？」

「いや、そのままで良いんじゃないか」

納得がいかない様子の凛子に、流聖は説明した。

「凛子は、大学を出てから、今の会社にずっと勤めてるんだろう？」

「はい」

「それと同時に一人暮らしを始めて、自活している。家事はどうだ？」

「まあ、そこそこ。自炊をしていますが、週末は作り置きのおかずがなくなって、コンビニご飯になったりします」

「上出来だ。彼氏がいない歴は長くて……」

「そこは素早いスルーを望みます！」

「おう。つまり、ひとりでも楽しく暮らせているわけだ」

「はい。サボテンを育てたり、たまには友達と遊んだり……」

「昨日会ったばかりだが、凛子は素直で真面目で、しっかりしている。ただし、少し不器用で、自分のアピールの仕方をわかってないし、積極的に外に出て行くタイプではないから、経験値が足りない」

「はい、足りてませんね……」

だから婚活パーティーでも、誰の目に止まらなかったんだなあ、と、改めてがっくりする。

「だが、そんな些細（ささい）な点は気にしなくて良い」

「些細な点、ですか？　婚活においては致命的ではないですか」

流聖は、くくっと笑った。少し黒いその笑いに、凛子は（ブラック流聖、降臨！　尊い！）と、拝みたくなるのを堪えるのに必死だった。

「あのな、男ってのは馬鹿だけど、馬鹿じゃない。婚活パーティーで、人気があった女性を覚えてるな？　どんな感じだった？」

「ええと、若くて可愛いお喋（しゃべ）り上手な感じの女性と、三十代の美人です」

「その美人は、自炊してそうだったか？」

「自炊、ですか？」

凛子は、記憶を辿（たど）った。

「爪が……長くて、ワイン色をして銀の飾りも付いていて……あれって、ごはんを作るのに邪魔かも」

「そうか」

「もうひとりの若い子の方は、わかりません。でも、あの子は若いのに高そうなバッグを持ってたな……」

彼女は『趣味は旅行とか、ヨガとか、フラワーアレンジメントとかです。イギリスに行きたくて、英会話も習ってるんです』と話していた事を凛子は思い出した。

「月謝の高そうな習い事をたくさんしてるって言ってました」

「成る程。実家に暮らしていて、給料は自分のために使っているんだろうな」

「そうですね、自活していたらあんなに派手にお金を使えませんよ」

凛子は頷いた。流聖は続けた。

「見た目の良さで、そのふたりは男性に人気があった。けれど、実際に結婚相手として考えたなら、まともな奴は凛子を選ぶと思うぞ」

「ええっ⁉」

「だからな、男は馬鹿だけど、馬鹿じゃないんだ」

謎だらけの流聖の言葉を考えていると、目の前に「ほら」と腕が現れた。

「はい……って？　え？」

真面目に考え込んでいた凛子は、目の前に出された流聖の腕を見て、不思議そうな顔をした。

「デートでは、男性は女性をエスコートするものだ。慣れておけ」

「は、は、はい、ありがたき幸せ！」

赤い顔で、恐る恐る流聖の腕に右手の指をかけた凛子を見て、流聖は「好きなだけ緊張しとけ」と笑った。

「お前は、自分の良さを見せる方法を知らないだけだ。良い所がたくさんあるから、凛子はすぐに結婚できると思うぞ」

「……師匠」

「結婚する相手には、自分との長い人生を共に歩んでくれそうな女性を選びたいからな。しっかり者で自立した、素直な凛子なら、引く手数多に決まっている」

今日は駄目出しばかりだったので特訓されるに違いないとばかり思っていた凛子は、流聖の優しい言葉に涙が溢れそうになった。

しかし。

（師匠、本当に惚れてしまうから、罪作りな事を言うのはやめてください……むしろスパルタ寄りで構いませんから……）

乙女の心の中は複雑であった。

流聖の腕に汗にまみれた手を（なんて畏れ多い！）と思いながらかけて、最初に連れていかれたのはヘアサロンだった。

「いらっしゃいませ。そのお嬢さんね？」

おネエ口調で迎えたのは、茶色い髪をふわっとしたウェーブヘアにしている、中性的な雰囲気の男性だ。実は彼も、明日名と流聖と同じ高校からの友人なのだ。

そして彼も、明日名や流聖と並んでも充分絵になるイケメンである。

明日名は、元になった事件が事件（婚活パーティーに、拉致暴行未遂犯が紛れ込むなどとは、とんでもない事だ）だけに、話を広めないためにこの『婚活プロジェクト』を内々で行おうと手配したのだ。

「流聖は、いつもながらカッコいいわねえ。デニムパンツがきまってるわ」

「褒めても何にも出ないぞ」

「あはは」

そして、男性は凛子に名刺を出して言った。

「わたしは、この店の店長をやっていて、流聖とは高校の同期の『薫（かおる）』って言います。これから凛子ちゃんの担当をさせて貰（もら）うわ、よろしくね」

「あ、はい、よろしくお願いします」

名刺を受け取り、慌てて自分も、と思った凛子を、流聖が止める。

「お前は出さなくていい。笑って受け取っておけ」

「はい、師匠！　薫さん、こちらこそよろしくお願いいたします」

イケメン店長に向かって素直に笑顔で挨拶する凛子を見て、彼は「あら、いい子ね。わたしに凛子ちゃんを可愛くさせてね」と言った。

そこに、流聖が割って入る。

「薫、お前は凛子の名前を呼ぶな。基本的に、名前呼びは彼氏だけとなっているからな」

「えー、なんでー」

「俺がそう決めたからだ。だから、お前は『佐藤さん』と呼べ」

「えー、なにそれ、ずるい。なんで流聖はいいの？」

「俺は師匠だからいいんだよ」

「横暴！　横暴流聖！」

薫はむくれて見せてから、凛子に言った。

「なーにが師匠よ、嫌ねえ、独占欲丸出しの男って。じゃあ、凛子ちゃん、鏡の前にどうぞ」

「おい薫、お前話を聞いてないだろう」

「ええ」

流聖も流聖だが、薫も薫だ。伊達に友人をやっていない。

「わたしたちは友達になったからいいの。ね、凛子ちゃん？　いいわよね？」

「あ、はい」

「おい」

「さあ、焼きもち流聖はほっといていいから、こっちにどうぞ」

華麗にスルーして、薫は上着を脱いだ凛子を鏡の前に座らせた。

鏡の前の凛子は、薫と流聖というふたりの美形男性に見つめられて、緊張しながら、無造作に後ろで髪を結んでいるヘアゴムをとった。薫は、解かれた凛子の髪に軽くブラシをかけて、唸る。

「凛子ちゃんは、いつもどんなヘアケアをしているの？」

「ヘアケア、ですか。ええと、シャンプーとコンディショナーをしてます、けど」

あまりおしゃれに縁のない凛子は、髪にも最低限のケアしかしていないので、恐る恐る質問に答える。

「ドライヤーは？」

「持ってますけど、乾くのが遅くて……」

途中で面倒になって、生乾きのまま髪を放置したり、そのまま髪を結んでしまうのだ。

「ちなみに、そのドライヤーはいくらくらいで買ったのかしら」

「なんかの景品で貰ったのを、実家から持ってきたので、ちょっと値段は……」

「なるほどね」

厳しい表情の薫が目を細めて頷いたので、凛子は（ひっ、叱られる⁉）とびくびくした。

そんな彼女の様子を見ていた流聖は「そんなに怯えるな、凛子はクライアントなんだからな。堂々としていろ」と声をかける。彼がついでに薫をじろっと横目で睨むと、サロンの店長は「あら、ごめんなさい！　凛子ちゃん、怖くない怖くない、怖くないわよー」と凛子をあやし始めた。

「わたしは怒っているわけじゃないのよ。ただ、真剣に考えていたから、わたしとした事がスマイルを忘れてしまったの。怖かった？　ごめんなさいね」

　薫が情けない顔で謝ったので、凛子は「いえいえ、わたしがビビりなだけなんです。こんな素敵なお店には慣れてなくって。わたしこそ、お気遣いさせてしまって申し訳ありません」と鏡越しに薫に頭を下げた。

「あら……凛子ちゃんっていい子ね」

　薫の手がぽんと凛子の頭に乗り、そのまま撫で始めたかと思ったら、彼の手首が摑まれた。

「なにすんのよ」

　薫は自分の手を摑む流聖に抗議した。

「必要以上に凛子に触るな」

「あらま、過保護な師匠だこと。『俺以外の男に触られるな』ってやつ？　ざーんねんでした、わたしのお仕事は女の子に触らないとできないのよーだ」

　薫が面白そうに流聖を見ると、イケメン婚活コーディネーターはむっとした顔で目を逸らした。

「さてと。凛子ちゃんの髪質はいいし、黒髪ロングストレートは魅力的なヘアスタイルよ。でもね、シンプルな分、実はお手入れも大変なの」

薫は、背中まである凛子の髪を持って見せた。

「ここ、いつも同じ所で縛っているでしょ。しかも、長時間。すっかり癖がついてしまっているわ」

「あ……はい、そうですね」

「しかも、真っ直ぐな髪だから、強く結ばないと落ちちゃうのよね？　そうするとね、どうしても負担がかかって髪が傷んでしまうの。だから、必要な時以外は結ばないようにしたいところだけど……邪魔なの？」

「……おっしゃる通りでございます」

凛子は小さくなった。

すると、薫は笑って言った。

「あのね、お客さんに無理なくケアできるヘアスタイルにするのも、わたしたちの仕事なのよ。だから、今日は凛子ちゃんがお手入れしやすくて、凛子ちゃんに似合うスタイルを探していきましょう」

「はい、よろしくお願いします！」

「あと、流聖は邪魔だから、あっちで待ってるか、どこかに出かけていて」

「なんでだよ、見てるだけだろうが」

あからさまに邪魔にされた流聖は文句を言って、居座ろうとしたが。

「視線がうるさい」

薫が、そこだけドスを効かせた声で流聖に低く言うと、流聖は「……わかったよ」と言っておとなしく『ホーム』した。

ではなく、流聖に見惚れるサロンのスタッフに待合スペースに案内されて、ついでにお茶とお菓子で接待された。そしてさらには、薫に「パーマとカラーリングに時間がかかるから、あんたはそこどいてどこかに行っててよ」と冷たく店を追い出されてしまったのであった。

さて、数時間が経過した。

凛子からの連絡で、流聖がいそいそと店に戻って来た。

「どうだ？」

「こんな感じ」

そこには、ほんのりと焦げ茶色に髪を染めたセミロングの凛子がいた。全体に緩くパーマがかかっているので、ストレートの時よりも柔らかな印象になっている。

「なるほど、雰囲気が変わったな。いいじゃないか」

「婚活メインって事で、優しいイメージにしたのよ。さあ、凛子ちゃん、やってみて！」

「はい！」

ケープを付けた凛子は、後ろにふわりと髪をまとめると、飾りのついたヘアゴムで結んだ。すると、髪は邪魔にならず、しかもうなじが見えて女性らしいまとめ髪になった。

「おっ、いいな」

すかさず薫が指示を出す。

「次よ！」

「はい！」

凛子は素早くヘアゴムを取ると、今度は黒いゴムで緩く束ね、その先をくるっと回してねじると、飾りのバレッタを止めた。

「おおっ」

「もひとつ！」

「はいっ！」

バレッタと黒ゴムを外した凛子は、ひとつにまとめた髪をくるっとひねると、ヘアクリップで挟んでアップヘアにした。

「……すごいじゃないか」

流聖は、顎に手を当てて感心して言った。

「なかなか器用なもんだな」

「パーマをかけてもらったら、すごく簡単にまとまるんです」

凛子は嬉しそうに言った。

「髪の負担が分散されるから、毎日違うアレンジにします」

「おしゃれだし、髪にも優しいの。さてと、流聖、この子にいいドライヤーを買ってあげてちょうだい。景品のドライヤーじゃ心許ないからね。凛子ちゃんには、パーマのウエーブをくっきりさせる乾かし方もレクチャーしておいたから。はい、これを持って」

　薫のメモを受け取った流聖は、それを見ながら「イオン？」と呟いた。

「そうよ。髪に優しいドライヤーを使うと、仕上がりが違うからね。さあ、買ってらっしゃい」

「買ってらっしゃいって……今か？」

「今よ」

「……行ってくる」

　という事で、なかなか献身的なイケメン婚活コーディネーターはお使いに出されてしまった。

「さあ、髪はこれで良し、と。次はメイクよ。担当は彼女がするわ」

　薫に呼ばれて、凛子よりも少し歳上に見える女性がやってきた。

「こんにちは。美容師で、メイクアップアドバイザーの竹村紗枝（たけむらさえ）です。よろしくね、凛子さん。一緒にメイクのお勉強をして、綺麗になりましょうね」

「あ、はい、よろしくお願いします」

　凛子は、新たな『教官』に頭を下げた。

「お勉強、ですか」

「そうよ。やり方をしっかりと身につけてね。もしも覚えきれなかったら、またここに来て。何度でも教えるから。でも……」

　女性教官は、にっこりと笑って言った。

「そんなに難しくないから、多分一度で大丈夫だと思うの」

　不安を隠せない凛子だったが、ここまで来たら覚悟を決めようと思って、紗枝の目を見ながら言った。

「はい、がんばりますのでよろしくお願いします、教官！」


「わあ、眉が……」

　メイクアップアドバイザーの竹村紗枝に眉を整えてもらった凛子は、印象がすっかり変わった事に驚いた。

　いつも適当メイクしかしていない凛子は、眉毛もほぼ放置状態だった。もともとしっかりと眉が生えていたため、幸い繋がるまではいかなかったが無法地帯と化していたのだ。

　だが、紗枝が梳いた凛子の眉をペンシルで囲って「いい？　このラインからはみ出た眉は要らない眉よ」と説明し、彼女の指導通りに小さな鋏で切り、無駄な毛を剃ると、ワイルドな眉は美しく整った緩くカーブした眉に変身したのだ。

「伸びたら自分で切ってね。自信がなかったら、また一緒に切りましょう。顔の中でも、眉はとても大切なパーツなのよ」

「そうですね、全然さっきと違う顔になりました！」

「メイクの基本は眉毛なの」

　そして、凛子は紗枝の指導の元で、大きなブラシでファンデーションを自然に付ける方法や、ブラウンのアイシャドウを指で付けて綺麗にグラデーションを作る方法、髪色に合わせるために眉に茶色のパウダーアイブロウをブラシで重ねる方法などを自分でできるように練習した。

「慣れれば五分でメイクできるわ。忙しい朝でも、五分なら大丈夫でしょ？」

　紗枝は、鏡をじっと見る凛子に言った。

「はい。なんだか、予想していたよりも簡単で、安心しました。ネットで見る変身メイクみたいな、難しいのを覚えるんだとばかり……」

　凛子は『整形メイク』の動画を思い浮かべて言った。そんな凛子に紗枝は微笑んだ。

「自分でできないメイクを習っても、意味がないでしょう？　それよりも、普段使いのメイクを身につけた方がいいわ。凛子さんはお肌が綺麗だから、保湿と日焼けしない事を第一に考えて、通勤もデートも淡いメイクで充分よ」

　婚活パーティーに盛り盛りメイクで参加しても、良い結果は望めない。男性は、遊びの相手ならともかく、結婚相手には自然体で隣に並んでくれる女性を選ぶのだ。

「はい。これなら、自分でもできそうです」

「がんばってね。心配な事があったら、気軽にここに来て聞いてちょうだい。パーティーメイクをする必要があったら、またやり方を教えるわね」

凛子は、頼もしい教官に強く頷いた。

ひと通り指導が終わったところで、薫に勧められた髪に優しいドライヤーを買ってきた流聖が戻ってきた。

「買ってきたぞ。もちろん代金は明日名持ちだから、安心して……」

凛子の顔を見た流聖は、目を見張った。眉を整えてナチュラルなメイクをした凛子は、新しいヘアスタイルによく馴染(なじ)んでかなりイメージチェンジして見えたのだ。

「凛子さんが、ご自分でメイクしたんです」

紗枝の言葉に、流聖は感心して頷いた。

「なるほど。さすがはプロの指導だ」

「師匠、どうですか?」

合格がもらえるかどうかドキドキしながら、凛子は尋ねた。

「ああ。いいな。とても綺麗だ」

流聖が、満面の笑みを浮かべて凛子を褒めたので、彼女は林檎のように真っ赤になってしまった。

「師匠……」

「凛子の良さが出ていて、とても魅力的だ」

「その、ピンク色のリップがとても似合うな」

「師匠……」

「新しいヘアスタイルも良く似合っているし、可愛い」

「師匠……」

（死ぬ！　美形師匠の笑顔はレーザー光線！　わたしを貫いて地球を一周し、更にもう一撃食らわしてくる危険なウェポン！）

金魚の様に口をパクパクさせた凛子は、どうしていいかわからなくなって視線を彷徨（さまよ）わせた。

「し、師匠！」

「そこは『流聖さん』だ」

「はい、流聖さん。じゃなくって、その、褒めすぎです」

凛子はわたわたしながら言った。

「全然、そんな事ないです。だって、わたしなんか」

「そんな事を言っては駄目だ！」

「ひっ！」

それまで甘い笑顔だった流聖に厳しく叱られて、凛子はビクッとなった。

「いいか、褒められた事を否定するな。それは、相手の判断を否定する事になる」

「あ……」

「更にそれは、自分を否定する事にもなる。自分は常に自分の味方であれ。誰がなんと言おうと、自分が魅力的である事を信じて、余裕で笑ってみせろ」

「余裕でって……でも、ししょ、流聖さんみたいなカッコいい人ならそうできるかもしれないけれど、わたしみたいな……」

「やれ！　師匠がやれと言ったらやるんだ！」

「はい、師匠！」

凛子はびしっと背筋を伸ばした。

「褒められる事に慣れろ。笑顔で礼を言え。褒められたら決して否定をしない。自分を貶めるような言葉を口にする事は許さない。わかったか？」

「はい、わかりました！」

「凛子、可愛いな」

「ありがとうございます」

素直な凛子は、少し引き攣りながらも笑顔でお礼を言った。

「よく似合っていて魅力的だぞ」

「ありがとうございます」

「道行く男が皆振り返りそうだ」

「ありがとうございます」

「綺麗だよ、凛子」

「ありがとうございます」

「こんないい女はなかなかいないな」

「ありがとうございます」

「是非デートを申し込みたいが、いいかな？」

「ありがとうございます」

イケメンの流聖から褒め言葉をシャワーの様に浴びせられた凛子は、どう褒められようが余裕の笑顔でお礼が言えるようになっていた。

「……凛子ちゃんが、流聖に調教されている……」

「なんて素直な子なのかしら……」

薫と紗枝は、感心半分、呆れ半分で顔を見合わせた。

そこへ、美容院の男性スタッフが通りかかった。

「わあ、イメージチェンジなさったんですね。とってもお似合いで素敵ですよ」

「ありがとうございます」

凛子は笑顔で礼を言い、スタッフも彼女に向かってにっこりと笑った。

調　教　は　完　璧　だ　！

「それじゃあ、薫。届いている服を」

買ってきたドライヤーを紗枝に預けた流聖が、薫に言った。

紗枝は、凛子に持ち帰らせるメイクの道具と一緒にドライヤーをしまった。

「店長、服と靴はあっちに用意してあります」

「紗枝ちゃん、ありがとう。さあ、向こうのフィットルームに移動しましょうね」

薫は『服って何だろう?』と首を傾げる凛子と機嫌の良い流聖を、奥にある小さな部屋に案内した。

「ここは、成人式や結婚式に振袖姿で出席するお客さまの着付けをする部屋よ。今日はお着物じゃないけどね、凛子ちゃんに服と靴を替えてもらいます」

「はい……わあ!」

部屋に吊るされた淡いピンクのワンピースを見た凛子は、驚いて声をあげた。

「師匠! ピンクです! まさか、この、ヒロインが着るような服を、このわたしに着ろとおっしゃる?」

高校のジャージとか変なトレーナーとかの怪しい私服と、通勤用のスーツくらいしか着たことのない凛子は、しなやかな生地で女性らしいデザインの美しいワンピースを見て恐れおののいた。

「そのつもりだが、もしや振袖の方が良かったか?」

「めめめめめっそうもない!」

振袖と聞いて、狼狽えてブンブン振る凛子の頭を流聖ががしっと摑み「冗談だ」と動きを止めた。

「まあ、婚活の定番だな。一枚持っていると重宝する、品が良いシンプルなワンピースだ」

「……とても素敵ですが、わたしに似合うでしょうか？」

「着て、自分の目で確かめてみろ」

ひとりで部屋に入った凛子は、くたびれたスーツを脱いで、ワンピースに着替えた。

「紗枝さん、ファスナーが……」

ファッションのセンスが残念な凛子はワンピースなど持っていないため、ひとりでファスナーを上げる事ができなかったのだ。彼女のヘルプを受けて紗枝が手伝いに入り「わあ、凛子ちゃん、すごくいいじゃない」と声をあげた。

「ちょっとぉ、紗枝ちゃんったらずるいわよぉ、早く見せなさいよぉ」

薫の声を聞いた紗枝が笑いながら返事をした。

「はいはい、わかりました。店長ったら、待ちきれないんですか？　今出ますから、パンプスの用意をお願いします」

「はーい、いいわよ」

薫はベルトの付いたベージュのパンプスを並べた。5センチくらいのヒールで、凛子が履き慣れている黒いパンプスと同じメーカーだ。ちなみに、凛子は普段から5センチパンプスを愛用している。

「流聖、もしかして、靴のサイズとか服のサイズとか、全部凛子ちゃんに聞いてたの？」

「当たり前だ。聞かないと買えないだろうが」

「まあ、それはそうだけど……あら、素敵」

流聖をじとっと見ていた薫は、部屋の扉が開いて現れた凛子の姿を見て手を叩いた。

「さすがは流聖ね、センスいいじゃないの。凛子ちゃんによく似合ってるわ」

凛子は紗枝に手伝ってもらいながらパンプスを履いて、皆の前に立った。

「師匠……わたしの目がおかしいのでなければ、似合っています……よね？」

淡いピンク色のワンピースは、ヘアスタイルとメイクを変えて優しげな雰囲気が加わった凛子によく似合っていた。膝が少しだけ見える丈が、凛子の脚を綺麗に見せているし、シンプルなベージュのパンプスは足に馴染んで脚長効果があった。

「大丈夫だ、お前の目はおかしくない」

流聖は力強く頷くと「よく似合っているぞ」と凛子に笑いかけたので、イケメン笑顔攻撃に慣れてきていた凛子であったが、不意打ちに真っ赤な顔になった。

（くうっ、師匠の攻撃を受け流せなかった！　不覚！）

腕を組み、上から下まで凛子を観察していた流聖が尋ねた。

「サイズは大丈夫か？　聞いていたデータに合わせて用意したんだが」

「はい、大丈夫です、ぴったりです。メジャーを使って全身をがんばって測りまくった甲斐がありました！」

「そうだ、努力は実を結ぶんだ。これからも精進しろよ」

「はい、師匠！」

凛子は気合いを入れて返事をしたが、薫と紗枝は奇妙な顔をした。

「メジャーで……ちょっと、測りまくったって、どれだけ測ったのよ？」

「9号とか、11号とかのサイズじゃないんですか？」

凛子は、ふたりに向かって胸を張って答えた。

「はい！　師匠が送ってきたチェックリスト通りに、頭の周囲から手首や二の腕やスリーサイズや……指の周りから足の先までなんだかいっぱい測りました！　だから、このワンピースはとても着やすいです」

「全身……測ったんだ」

「凛子ちゃんって、本当に素直な子……」

（そして、しれっと詳しいサイズを要求する流聖氏は……ちょっと危ない男）

薫と紗枝は、口元を引き攣らせるのであった。

「それにしても、どうして今まで似合わなかった服が似合うようになったんですか？」

不思議そうな凛子の問いに、流聖がふっと笑った。

「ひとつは、凛子の髪の色が少し明るくなり、ウェーブをつけた事。それで、柔らかい生地のフェミニンな服を着ても違和感がなくなったんだ」

「なるほど」

「それから、服のデザインだ。凛子の年齢であまり可愛らしさを前面に出したものを着ると、バランスが悪くなる。だから、優しい雰囲気のラインで、装飾が過多でない服を選んだ。そうすれば、パステルピンクでも幼くならないし、顔を明るく見せる色なので婚活に適したチョイスとなる」

「色合いとデザインですか！　さすがです、師匠！」

凛子がキラキラした尊敬の眼差しで流聖を見た。

「それでは、これからデートに出かけるぞ」

「デ、デートですか？」

「お前には経験が圧倒的に不足している。男性とのデートでエスコートされる事に慣れろ。褒められたら笑顔で礼を言う事に慣れろ。最初から完璧な振る舞いは要求しないから、少しずつ男女交際とはどういうものか、覚えていけ」

「はい、全力で取り組み、しっかりと覚えます！」

凛子はキリッとした表情で返事をした。

「よし、その意気だ！　薫、そういう訳だから、脱いだ服やドライヤーは預かっておいてくれ」

「それは構わないけど……」

薫は、流聖の顔を疑わしげに見て言った。

「あのね、流聖、まさか、凛子ちゃんの事を『ぱくっ』といったりは……」

「俺は、凛子を成婚に導く『婚活コーディネーター』だからな。弟子に幸せな結婚をさせるのが俺の仕事だ！」

ほんの少し顔を斜め上に向け、イケメン婚活コーディネーターは言った。

「いやいや、無駄にカッコ良く言わなくていいから。ただね、わたしは凛子ちゃんの事が心配で……」

「はい、師匠にしっかりとついていき、成婚を目指していきますので、どうぞこれからもよろしくご指導の程をお願いいたします！」

まったく流聖に疑いを持たない凛子は、薫に向かって元気に言った。

「よろしくご指導は惜しまないけどね、凛子ちゃんも、警戒心を持とうよ……」

薫は額に手を当てて、ため息をついた。

「準備もできた事だし、行くぞ」

「はい！　……し、師匠、これは」

先程のように腕に手をかけようとした凛子は、その手を流聖に握られてびくっとした。

「どうした？　行くぞ」

「すみません、恋愛関係に疎いわたしの目には、この手の握り方がいわゆる『恋人つなぎ』というものに思えるのですが」

「その通りだ」

背の高い流聖は、文字通りの上から目線で凛子に言った。

「お前はこういう事に免疫がないからな。俺を相手に少し慣れてもらうぞ」

「えええええ、ハードルが高すぎです！」

「何を言うか。これくらいの事をこなせないようで、どうやって結婚するというんだ？

辛い目に遭っても負けないように、婚活には強い心が必要だ。これも精神鍛錬だと思ってがんばれ」

「は、はい、師匠！」

凛子は、流聖の手をぎゅっと握りしめた。

「心頭滅却して、恋人つなぎをマスターさせていただきます！」


「……大丈夫、なのかしら？」

真っ赤な顔できっと前を見据えながら恋人つなぎをする凛子と、そんな凛子の事を満足そうに優しい目で見る流聖を見送った薫が呟いた。

「凛子ちゃん、ひとりでファスナーが上げられないから、サービスでこれ入れときますね」

紗枝が、凛子の荷物にファスナーを上げやすくする便利グッズを追加した。

「さすがは店長のお友達です。ちょっと変わってますけど、ベテランの『婚活コーディネーター』さんなんですね。凛子ちゃんが目に見えて変わっていきます、頼もしいです」

「あ、あははは、そうかしらね？」

(流聖って、ウェブデザイナーよね？　女の子の手をちゃっかり握っちゃったりして、あんな楽しそうな流聖を初めて見たわ。でも、あんないい子を流聖に紹介して、手を出すなって言ってるなんて……もう、明日名ってば何を考えてるんだろ？)

薫の脳裏には、学生時代から『腹黒策士』『笑顔の明日名に気をつけろ』と噂(うわさ)されてい

た明日名の顔が浮かんだ。

（でもあいつは友達に変な事をする奴じゃないし……ま、いっか）


薫のヘアサロンを後にした凛子は、流聖のエスコートで街を散策した。

「師匠、なんだか視線を感じます！　わたしは今、リアルサボりんと歩いているくらいに注目されているのではないでしょうか？」

「お前の基準はそこか」

「はい」

「……わかりやすいと言えばわかりやすいな」

確かに、芸能人かモデルかと見まごうほどの、背の高い美形である流聖は、どこにいても目立つ。そして、彼と手をつないで歩く凛子も同時に視線にさらされてしまうのだ。

「さすがは師匠ですね、全然動じないんですね」

瞳をキラキラさせて自分を見上げる凛子に、流聖は言った。

「どんな時でも不動の心を持つんだ。その心の強さが成婚につながる」

「はい、わかりました！」

道行く人々は、当然ながらふたりの会話の内容などわからないので『リア充カップルだな』という目で見てくる。そこには、とびきりのイケメンと歩く凛子への嫉妬心を込めた女性からの厳しい品定めの目も含まれていたのだが、流聖に調教……いや、厳しく鍛えられていた凛子はそのようなものに動じなかった。

むしろ、これも修行の一環なのだと捉えて、素直な凛子は目が合った人には男女問わずに笑い返している。

（ふっ、明日名王子と流聖師匠という二大イケメンに挟まれて、豪華なホテルラウンジで食事をしたわたしに、もはや死角などないわ！　さあ、いくらでもわたしを見るが良いさ、どんな視線であろうとこの『嬉しいわありがとう光線』で跳ね返してみせようぞ！）

少々ズレてはいるが、凛子はかなりの強さとふてぶてしさを身につけていた。

ふたりは軽いランチを取ろうとおしゃれなカフェレストランに入ったが、流聖と凛子の姿を見た店員は、店の外からよく見える特等席に案内した。

「こちらの席はいかがですか？」

「ありがとう」

流聖が頷くのを見て、凛子は笑顔で店員に言った。すると、まだ若いウェイターは（うわあ、綺麗……可愛らしい女性だな）と頬を染めた。

フェミニンな淡いピンクのワンピースを身につけて、柔らかなウェーブを描く女性らしい髪に、ナチュラルだがふんわりと華やぐメイクをした凛子がにっこりと笑うと、彼の目には流聖すら入らなくなったのだ。

流聖が厳しく指導する自然な笑顔は、抜群の破壊力を持つ。

美人を作るのは、顔形（かおかたち）ではない。

笑顔なのだ。

「今日はこの後に、凛子の服を買いに行こうと思う」

「服ですか？」

「これがあれば、婚活は大丈夫なんじゃないでしょうか」と凛子は自分の着ているワンピースを見ながら言った。

しかし、流聖は首を振る。

「婚活は、ワンピースを着ている間だけに行うものではない！」

「はうっ！」

凛子は、流聖の言葉に衝撃を受けた。

「出会いはどこに転がっているかわからない。だから、常に自分の見せ方に気を配るんだ」

「は、はい、師匠！」

「そして、外での姿だけを取り繕うものではない。まずは、部屋着としての高校ジャージは捨ててもらうぞ」

「あああ、そう言われるのではないかと薄々感づいていました！」

「それは良い傾向だ」

流聖が、凛子に向かって笑顔で言った。

ふたりがまさか『高校ジャージを捨てる話』をしているとは思わない他の客は、流聖の良い笑顔を見て『あの彼氏、彼女にメロメロだな』と思った。

「とりあえずは、部屋着をまともなものにして意識を高める。そして、通勤用のスーツを新調する」

「やっぱり駄目ですか」

「やっぱり駄目だ。自分でも、型が崩れて所々色が抜けて、おまけに何度か綻びを繕った跡がわかるスーツは成婚のチャンスを遠ざけると感じているだろう」

「はい、流聖さんの指導を受けた今、ひしひしと感じております……」

というわけで、食後のデートはショッピングとなったのであった。


「た……ただいま戻りました……」

薫のヘアサロンの入り口から、ぐったりした凛子が入ってきた。その憔悴した姿を見て、薫は思わず声をあげた。

「あらやだ、凛子ちゃん、しっかりなさいな！　誰か、この子に飲み物を持ってきてあげて！　そうね、あったかいお茶がいいわ」

「はい、店長！」

薫に待ち合い用の椅子に座らされた凛子が弱々しく「ありがとう……ございます……」と彼に笑いかけたので、薫は「凛子ちゃん、いいのよ、こんな時まで笑顔を見せなくても……くっ」と涙をこらえた。

「ひと通り、目的の物は揃えた」

そして、その後から入ってきたのは、ショッピングバッグをたくさんぶら下げた流聖だ。その姿に、薫は再び「あらまー、随分と買ったわね！」と声をあげた。

「ああ。部屋着と、通勤用に新しいスーツを三着、紺とグレーとピンクベージュだ。あとは、靴を二足。へたったスーツとパンプスはすぐに処分して、月曜日からはこっちを着ていけ」

「はい、師匠」

試着、試着、そして試着を繰り返して目が回りそうになった凛子は、熱いお茶を啜（すす）ってほうっ、と息をついた。

「婚活の道は、本当に険しいものなのですね」

「そうだな。次回は普段着と外出着を買いに行くぞ」

流聖の言葉で、凛子はお茶を噴きそうになった。

「ひっ、じ、次回も、服、なのですか？」

「当たり前だ。お前のワードローブは、酷いを超えて奇天烈（きてれつ）だ。よくもまあ、あんな物を着ていたもんだ……」

手持ちの服の写真をSNSを使って送らせた流聖は、眉間にしわを寄せて言った。

「奇天烈、という言葉を実際に使う人を初めて見ました……そんなにセンスないですか？」

「皆無だな。異論があるなら薫にも見てもらうが？」

「めめめめめっそうもございません！」

薫が「あら、怖いもの見たさでちょっと興味があるわ」と呟いた。

こうして、凛子の修行の一日が終わった。

流聖は大量の荷物を持ち、凛子をタクシーで家まで送ってくれた。そして、恐縮する凛子を「そこは笑顔で『ありがとう』だろう」と諫め、部屋まですべて運んでくれた。

「今日は疲れただろう。ゆっくり休め。わからないことがあったら、いつでも俺に連絡しろ」

「はい」

「じゃあ、またな」

流聖の大きな手のひらが、凛子の頭をぽんと叩いた。

凛子は去って行く流聖の後ろ姿を見送りながら「師匠、イケメンの撫でぽ攻撃は、わたしには強力過ぎます、オーバーキルです、一面の焦土です！　丸焼けになったわたしの乙女心をどうしてくれるんですか、師匠ーっ！」と呟くのであった。

『流聖、凛子ちゃんに買った服の領収書を送れ』

『いや、かまわない』

『かまうだろう』

『凛子の服は俺が買うし、お前は凛子の名を呼ぶな』

あった。

『あー、はいはい、了解w』

流聖と明日名の間でこんなやり取りが交わされている事など、まるで知らない凛子であった。

そして翌日、処分する服をせっせとビニール袋に突っ込み、部屋の大掃除をする凛子がいた。

「『成婚は部屋の掃除から、だ。部屋の写真を送れないなら直に見に行くぞ』とか、師匠は鬼教官なり！」

あの師匠なら『一緒に掃除をやる』などというたわ言を言い出しかねない。

そう思い、サボテンたちに愚痴を吐きながらも凛子は掃除に精を出したのであった。

第五章　出社したりんご姫

さて、月曜日になった。

はりきっていつもよりも三十分早く目が覚めた凜子は、朝食を食べた後、さっそく新しい紺のスーツを身につけた。履いて行くのもピカピカのパンプスだ。今までのどこかくてっとした感じのパンプスは、潔く捨てた。

（いつ鬼教官の抜き打ち指導が入るかわからないし、もしも隠し持っている古い靴が見つかったら、握ったパンプスで一発頭をどつかれるかもしれない。証拠は素早く隠滅するに限るのだ！）

凜子の流聖に対する誤ったイメージは置いておいて。

彼女は髪をくるっとねじってヘアクリップで留め、紗枝に教わったメイクを七分で終わらせた。

「はっ、早い！　手早すぎる！　さすがはコードネーム『Poison apple』だ、ミッションコンプリート！」

見た目はお嬢、中身は残念な凜子は、鏡に向かって変なポーズをとり、さて、余った時間で珈琲でも飲んでいくかといつもより早く家を出た。

通勤途中にあるカフェで珈琲を飲み、凛子はいつになくゆったりした気分で出社した。

「おはようございます」

「おはようございます……え?」

凛子に挨拶した女性社員は、思わず二度見した。いや、女性だけではなく、男性社員も二度見した。

彼女は大変身したわけではない。しかし、何かが違うのだ。

女性には、髪を切ってパーマをかけたんだなとか、メイクを変えたんだなとか、具体的な違いがわかるのだが、男性はどこが違うかわからず、『なんか違う』という大雑把だがもやっとする思いが心に残る。

「佐藤、おはよう」

同期の畑中創太も凛子に挨拶してから「あれ?」と首をひねった。

「なんか、雰囲気が変わったじゃん」

「あ、髪を切ったんだ、どうかな?」

凛子は横を向いて、後ろでアップになったヘアスタイルを見せた。

「うん、いい感じだと思うよ。佐藤に似合ってるし」

「ありがとう。ちなみに、スーツも新調してみたんだ」

「なるほど。道理でぱりっとしてると思った。うん、五割増くらい良い女にみえるよ」

「あはは、そっか、五割増か！　ありがとうね」

流聖の調教……ではなく、婚活レッスンを受けた凛子は、息をするように笑顔でお礼を言えるようになっていたので、満面の笑みで気安く創太に笑いかけた。

そして、今までにないスマイルを凛子に向けられた創太は「お、おう」と少し狼狽（うろた）え、顔を赤くした。

「いや、マジ、全然良い女だし……」

創太が小さく呟いた。

そして他の男性社員たちも、心の中で同じ言葉を呟いたのだった。


凛子の仕事ぶりは、いつも通りに真面目なものだったが、雰囲気がなんとなく柔らかくなったせいで、普段はあまり関わらない人にも声をかけられた。

「佐藤さん、イメチェンしたの？　いいじゃない」

「ありがとうございます」

「メイク変えたんだね。どうしたの？」

「婚活しようと思って、メイクアップアドバイザーの方に教えてもらったんです」

「ええっ、すごい！　プロのレッスンを受けると効果があるのね。わたしも受けてみようかな」

「良かったら紹介しますよ。ここから近いところだし」

今までなんとなく関わりにくかった凛子が、笑顔で会話が続く女性に変わったため、彼女は半日で普段の一ヵ月分くらいの会話を会社でしていた。

というか、今までが会話をしなさすぎである。


そして、昼休み。凛子は、例のトイレに潜んでいた。

エージェント『Poison apple』として！

「ちょっと、見た？　毒林檎」

凛子の期待通り、今日のネタは『毒林檎』である。

ここのところ、すっかり『林檎祭り』が下火になってきて寂しさを感じていた凛子は、わくわくしながら会話を聞いていた。

「なんか急に垢抜けちゃってたね。まさか、男でもできたのかな？」

（いえいえいえ、めっそうもございません！）

なぜだか脳裏にぽんと浮かんだ流聖の顔を、慌てて消す凛子である。

（男を作るのはこれからでございます！）

敬語での決意表明を忘れない。すべては婚活のためなのだ。

「まさかあの毒林檎が、姫ポジを狙ってくるとはね」

「白雪姫かー？　それは無理があるっしょ」

「りんご姫かね」

「まあ、りんご姫くらいなら、ギリおっけーかな」

（えっ、ちょっ、待って、今『姫』って言った⁉　いいの？　毒林檎がいきなり姫ポジションに立ってもいいの？　魔女のお妃さまではなく？）

お妃さまは美女設定なので、無理があるのだろう。

凛子が興奮していると、赤井治代が言った。

「イメチェンしても、素朴は素朴だしね。毒林檎改めりんご姫で」

（赤井さんのお許しが出たーっ！）

個室に潜み、凛子は喜びのあまりそっとガッツポーズをとる。

（植物からの進化！　わたしはとうとう人間になったのだ！）

そこか。

「まあ、イメチェンしても若くなるわけじゃないからね、うちらとは関係ないよ」

「関係って？」

「合コンでライバルになるとか」

「あははは、それはないないない」

（ないないないないーっ、さすがにそれは無理ですってば！　あなた方の様な若いお嬢さんと、同じ土俵に立ちませんからね、もう充分身に染みましたよ）

凛子は個室で手を振って、声に出さずに突っ込んだ。婚活パーティーでの屈辱は、凛子にかなりのダメージを与えているのだ。

婚活は若さが勝負である。なので、自分よりも若い女性ばかりが集まる合コンに参加するなど、無謀中の無謀なのだ。

そして、後輩たちが去ると凛子は個室から出てきて鏡に向かった。そこに映るのは確かに佐藤凛子なのだが、先週とは別人に見える。明るくなった髪は、今までのひっつめた縛り方と違ってふんわりとまとめられ、整えられた眉に淡いメイクをしているため女性らしい優しさが出ている。

新しいポーチを持ってきた凛子は、パウダーで顔を軽く押さえると、ピンクのリップを引き直した。

「ふう、コードネームを変更しなくてはね。『Poison apple』は、今日から『Princess apple』に生まれ変わったのだ！　くうっ、なんかこっぱずかしいぃーっ！　でもでも、プリンセスと言えば王子、明日名王子……いや待て、彼は既婚者なんだから、問題外。となると、流聖師匠……は、わたしの事を弟子としか見てないからやっぱり問題外。ああ、『Princess apple』の王子さまは今何処(いずこ)……ぐっ、ぐふふふふ」

怪しい笑い声を押し殺しながら鏡の前で身悶(もだ)える、残念なＯＬ佐藤凛子30歳であった。


そして、その夜。

暗闇に、スマホの画面が光っている。

『師匠、職場での評判は上々でした』

『おう』

『週末の飲み会も、がんばりたいと思います』

『よし』

『最近とんとなかったのですが、男性社員に業務以外の内容で声をかけられました』

『そうか』

『もちろん、笑顔でお返事させていただきました』

とあるマンションで、ベッドに腰かけながら流聖はスマホの画面を見ていた。

『あまり男に軽々しく笑いかけなくても』

彼はそこで手を止めて、打ちかけた文章を削除する。

「……凛子はいい弟子だ」

そう呟いて、流聖は『合格』と一言だけ打ち、もう一度「ただの弟子だ」と言ってからスマホを閉じた。


そして、金曜日。乙川商事の有志による、親睦のための飲み会が行われた。

これは会社の補助金も出る定例会ではあるが、出たい人が出ればいいという緩い感じの飲み会なので、凛子は久しぶりの出席だ。

彼女はお酒はまあ人並みに飲めるのだが、仲の良い同期がいないと誰と何を話したらいいのかわからないし、地味で存在感の薄い凛子に積極的に関わってくる社員もいない。そもそも、欠席を続けていても誰も気にかけてくれなかったのだ。

だが、今の凛子は違う。

イメージチェンジをきっかけに、頻繁に笑顔を見せるようになった凛子は、ちょっとした話題の人になっていて、他の社員たちと他愛のないお喋りもするようになったのだ。

特に女性社員は、凛子が「もう30歳だから、婚活を始めたんです」と話すと、乙川商事の福利厚生で契約している結婚に関するサービスがあるとか、合コンのメンバーに組み込もうかとか、大変有益な情報を彼女にもたらしてくれた。

そう、婚活を始めたと堂々と宣言する凛子の潔さに、皆は感銘を受けたのだ。

飲み会の席でも、凛子に話しかけようとする男子は押しやられ（正直言って少し残念だったが、飲み会はこれが最後というわけではないので良しとした）凛子は笑顔で女子とお喋りをした。

「婚活コーディネーター？」

「そうなんです」

流聖に「飲むなら酒、烏龍茶、たまにオレンジジュース、そして酒だ。決して酔うな。酔っ払ったら成婚は遠のくと思え」と厳しい指導を受けている凛子は、乾杯の後は烏龍茶を傾けながら言った。

「縁あって紹介してもらったんですけど、すごいですね！　上から下まで全部駄目出しをされて、鍛えられています」

「うんうん、そうみたいだね」

「佐藤さん、変わったよね……なんか、中身から変わった感じ？」

「あはは、ちょっと変な奴なのは一緒ですよ」

　酔ってはいないが、凛子は今まで自分とリア充（と、彼女は思い込んでいた）社員との間を隔てていた壁を取っ払って、素の自分を出して笑っていた。

「ぶっちゃけ、まともに男女交際をした事がなかったんで、ガンガン目から鱗（うろこ）を剝ぎ取られてますよ」

「……確かに、男女交際してなさそうだったもんね」

　残念な地味女子だった凛子の姿を思い浮かべて、皆は頷いた。

「今は？　彼氏はできたの？」

「いやいや、まだ修行の身ですよ！　そろそろ婚活パーティーに参戦する予定なんですが、師匠……いや、婚活コーディネーターのオーケーが出ないと動けないので、今はせっせと掃除をしています」

「掃除？」

「はい」

　凛子は頷いてから「わたし、ハイボール行っちゃいますが、他に飲む人はいませんかー」と注文を取り始めた。

「佐藤さん、いいよ、ちょうどここに畑中くんがいるから」

「えっ、俺っすか？」

という事で、注文係は凛子の様子を見に来た畑中創太に丸投げされた。

「で、佐藤さん、何で掃除なの？」

「訳がわかんないんですけど、彼氏を呼んでも大丈夫な暮らしをしろと言われて、でも決して男性を部屋に入れてはならないとも言われて……」

「どっちや！」

女子ーズの突っ込みの声が揃う。

「婚活にあたっては、固すぎるくらいに身持ちを固くしろって言われてるんです。恋人探しと結婚相手探しは根本的に違うって言われて」

「マジか！」

「ええー、恋愛から結婚しちゃいけないの？」

「あのですね、わたしみたいなろくに男子と話さずにきた女に、恋愛からの結婚などというハードルの高い事ができると思いますか？」

皆は腕を組み、うーむと唸った。

「恋愛ができる人は、そっちの道でいいんですよ。でもね、わたしの道は厳しく険しい獣道なんです！　……初めて行った婚活パーティーで、針のむしろに座った話、聞きたいですか？」

「き、聞きたい」

「超怖そうだけど、聞きたい」

そして、凛子は（例の犯罪者の話はうまく避けて）まずは通勤スーツで行ったらスタッフと間違えられたところから始まって、散々だった婚活パーティーの話をして、その場の空気をぐっとつかんだのであった。


「凛子ちゃん、おもろい子やわー」

「合コンがあったら、声をかけますね」

「お願いしまーす」

歳上も歳下も、満遍なく女子と仲良くなった凛子は、笑顔でアピールした。流聖の指導はバッチリ身についている。

トイレに立って軽くメイクを直して戻ると、席が移動していた。

「佐藤、こっち」

凛子は、烏龍茶を指差して呼ぶ畑中に「あ、頼んでくれたんだ！　ありがとうね」と笑顔でお礼を言い、隣に座った。

「今夜は十年分くらい喋（しゃべ）っちゃった」

烏龍茶を飲みながら凛子が言うと、同期の畑中は「無口かよ！」と笑った。

「婚活してたのか。大変だなー」

「うん、初めてのことばかりで大変だけど、面白いよ。畑中くんは、彼女がいるからいいよね」

「まあな」

畑中はチューハイを飲んでため息をついた。

「でも、遠距離だからなかなか会えなくてさ。そうなると女性の気持ちも遠くなるのかなぁ……」

「そうなんだ」

凛子は、流聖の教えの「男性相手の時は、あまり喋らなくていい。ひたすら相槌(あいづち)を打って話を聞け」を守った。

ちなみに、流聖から毎日電話で指導を受けているのだが、彼が相手だとなぜか余計なことまでべらべら喋ってしまい、掛け合い漫才になった挙句、師匠に「アホ」と言葉でどつかれるのであった。

流聖に出会った時は脳内に妄想が展開して、挙動不審になっていた地味ＯＬだった凛子が、こうしてイケメン相手に漫才ができるようになったというのは、たいした成長ぶりである。

そして、そんな凛子と掛け合い漫才をしてしまう流聖にも『婚活コーディネーター』としてそれでいいのか！と突っ込んで良いだろう。

それはともかく。

畑中創太の愚痴をひたすら相槌を打ってうんうんと聞いていた凛子は、斜め向かいに後輩たちが座っている事に気づいた。

そう、赤井治代を始めとする例の女子トイレのメンバーたちだ。

彼女たちは、彼女持ちではあるが社内で人気がある畑中と凛子がサシで喋っているのが気に入らないようで、ちらちらと凛子の方を見ている。凛子は赤井の視線を正面から受け止めて、にっこり笑いながら「なあに？」と尋ねた。

「いえ……別に、なんでもありません」

目をそらしながら、赤井治代が言った。

「そうなんだ」

そして、また畑中と話していると、後輩たちがどうもこそこそと文句がありそうな雰囲気で話しているので、凛子は……。

（そうだ、この子たちのお陰で流聖師匠の指導を受けられたんだよね）と感謝の気持ちを持った。

「赤井さん」

「なっ、何ですか？」

「わたし、治代って良い名前だと思うんだ」

「はあっ⁉」

凛子の感謝が、唐突に現れた！

赤井治代は困惑した！

「前から思ってたんだよね。『はるよ』って聞くと、春の野原でちょうちょが飛んでる風景が浮かぶんだ」

「……そ、ですか？」

にこにこしながらそんな話を始めた凛子に、赤井治代もトイレのお友達も困惑マックスである。

「『ハルル』よりも『はるよ』の方が、断然可愛いと思う」

「あ、俺も賛成だな」

隣の畑中創太からも、一票が入る。

「『はる』って響きは柔らかくて、女の子っぽくていいよな。ちなみに、俺の彼女は『ちはる』だよ」

「へえ、良い名前だね」

「おう」

凛子と畑中は、烏龍茶とチューハイで乾杯する。

「赤井さん、実はわたしも『治代』って名前は、赤井さんが言うほど悪くないと思ってたんだ」

「赤井さんが気にしてるから言えなかったんだけど……わたしもだよ」

「えっ、本気？　本気で言ってるの？」

赤井治代が驚いて尋ねると、後輩たちは頷いた。

「うん、いい名前だと思う」

「シワシワネームとかこだわる方がかっこ悪いってゆーか」

「ねえ」

赤井治代は絶句した。

「ちょっと『ハルル』って呼びにくくて『赤井さん』って言ってたけどさ。これからは『治代』って呼んでもいい？」

「え、あ、うん……いいよ」

治代は赤い顔をして、小さな声で言った。

「そっか。じゃあ、これからはそう呼んでよ」

「おっけー、治代！」

「かんぱーい！」

照れ臭そうな治代とトイレ仲間たちは、乾杯をして笑った。

第六章　婚活パーティー、リベンジか⁉

そんなこんなで、職場でも男性と話ができるようになった凛子は、次のステップに進むことになった。

そう、流聖の元でモテるテクニックや婚活への心構えを学んだ凛子は、その成果を出すべく婚活パーティーで再デビューするのだ！


さて、サボテンＯＬからりんご姫と成長した凛子の『再デビュー作戦』の裏では、ふたりのイケメン策士たちが動いていた。

「流聖、お前は本気で凛子ちゃんを婚活パーティーに参加させるつもりなのか？」

微妙な表情の明日名が言った。

ふたりは、夜のホテルのバーで飲んでいた。そろそろ独立も考えている程の人気のウェブデザイナーである流聖は、現在はフレックス制で割と時間に融通が利くのだが、明日名の方は夜のパーティーなども管理しなければならないので、会う時には明日名のスケジュールに合わせている。しかも、遅い時間でないと突然の呼び出しがあったりして、明日名の仕事はなかなか大変なのだ。

都内のとある高級ホテルの高層階にあるこのバーは、夜景が素晴らしい事からカップルに人気の店である。そして、そのカップルたちの女性の視線を、罪作りなふたりは集めていた。

(あんな高レベルのイケメンふたりがホテルのバーで……怪しいわね)

違った意味でも集めていた。

注目される事に慣れている流聖は、そんな視線など気にも止めずにいた。そして、明日名と話しながらも、頭の片隅で(そのうち、ここにも凛子を連れてきてやらなければな。こういう雰囲気に慣れさせておかないと、あいつはデート中に奇声を上げて窓ガラスに貼りつきかねないだろうから……ここを絶対展望台と間違えるぞ……)などと考えて、口元を綻ばせていた。

その予想が決して流聖の勘違いでないあたりが、凛子の残念なところだ。また、顔をしかめるのではなく優しげに笑って、窓から夜景を見てはしゃぐ凛子の姿を想像する流聖の様子は、どう考えても師匠の域を超えている。

明日名は続けて言った。

「もちろん、人気のパーティーに俺の権限で参加させるのはかまわない。うちはそれだけの補償をしなければならない事にあの子を巻き込んじゃったんだからな」

一歩間違えたら、凛子の人生が滅茶苦茶になるところだったし、その責任をパーティー会社が追求されて、会社が崩壊する事態になったかもしれないのだ。

あの日の事を考えると、明日名の背筋も寒くなる。

そして、穏便に事を済ませてくれるし、笑顔で懐いてくれる素直な凛子の幸せを、明日名は一社員としてではなく真剣に願っているのだ。

彼は、性急すぎる流聖に意見した。

「凛子ちゃんには少し早過ぎやしないかと思う。ハードルが高すぎるし、嫌な体験をして自信をなくしたりしないかと心配なんだ」

しかし、流聖は明日名に向かって「『佐藤さん』と呼べ」と釘を刺してから、ふっと笑って答えた。

「凛子はそんなに弱い女じゃないぞ？　だいたい、若さは婚活において大きな武器だ。30歳と29歳では成功率が変わってくるし、ましてや三十の大台に乗ったら一気に不利になる。そして、三十代の次の壁が33歳なんだ。だから、凛子は一日でも早く婚活を進めて良い相手とカップリングしなければならない。もちろん、今回のパーティーで相手を見つけろと言っているわけじゃないからな。まずはいろんなタイプの男性とのコミュニケーションを体験させておきたいんだ。そのためには、比較的身元がしっかりした男性が集まるパーティーで軽くウォーミングアップさせておきたい」

「おいおい、当社の人気パーティーでウォーミングアップか？」

「凛子にはそれだけの価値がある。なにしろ俺の弟子だからな」

「ああ、はいはい」

　明日名は苦笑いをした。

（こいつ、かなり凛子ちゃんに入れ込んでいるけれど、自覚していないみたいだな）

　さて、現在の凛子のコミュニケーション体験は、『規格外のイケメン達（流聖、明日名、薫）』『普通の男性（乙川商事の男性社員）』という、極端なものである。そのため、試しに婚活パーティーに参加して、いろいろな男性と関わっていくという流聖の考え方は間違っていないのだが。

　明日名はウィスキーのグラスを傾けた。

「年齢と婚活の関係は、この業界にいる俺もわかり過ぎるくらいわかってるけど……流聖は、本当にそれでいいのか？」

「どういう意味だ？」

「俺が言いたいのは、佐藤さんを成婚させて本当にいいのかって事。それはつまり、彼女を手放すと言う事だぞ？」

「当然だろう」

　流聖は笑って、カクテルを飲み干し、明日名の顔を見ながら言った。

「今更何を言ってるんだ？　俺は『婚活コーディネーター』だぞ。クライアントを幸せな結婚に導くのが俺の仕事だ。その第一号の成婚を、必ず成功させてみせるからな」

「うん、まあ、それは心強いんだけどな……」

「なんだよ、歯切れの悪い」

流聖は、明日名の様子に眉をひそめながら言った。

「佐藤凛子を、成婚できるように調教してくれって頼んできたのはお前だろうが」

「『調教』じゃなくって『指導』な。流聖は女性の魅力を引き出すのが天才的に上手いからそこに期待したんだけど。でも、いいのか？　佐藤さんを、他の男の所にやるんだぞ？　そこんとこをわかってんのか？」

明日名はしつこく念を押す。彼は友達として、流聖を気遣っているのだ。しかし、流聖はふっと笑った。

「もちろん、可愛い弟子である凛子を生半可な男と結婚させる気は無いがな！　将来有望で性格も間違いない、見た目もそれなりに映える、生活力と包容力のある男でないと駄目だ。だから、まずは男を見る目を磨くためにお前の所の超ハイソサエティ専門のパーティーに参加させる。身元の審査が一番厳しいやつだ」

その言葉を聞いて、明日名はグラスを倒しそうになった。

「ええっ、なっ、まさか、あそこに凛子ちゃんを？」

「名前で呼ぶなっつーの！」

「いや、だって、あのパーティーは、参加女性もモデルとか大企業の美人受付嬢とか、結構レベルが高いぞ。ある意味、魑魅魍魎（ちみもうりょう）の集まりに近いというか、戦場というか……」

明日名も結構失礼である。

しかし、流聖の特訓で短期間のうちに変わったとはいえ、そんなパーティーで、凜子は生き残ることができるのか。

流れ弾に当たり、無残な姿になるのではないか。

そんな心配をして、明日名は流聖のスパルタぶりに身震いをした。

「いわゆるハイスペックな男達の目に、今の凜子がどう評価されるのかを知りたい」

「いやまあ、それはそうかもしれないけど……」

「あ、凜子だ」

スマートウォッチに受信の表示が出たので、流聖はスマホを取り出した。

「個人的な飲みに誘われた？　うーん、駄目だな、やたらに男を引き寄せてもまだ断る技術が身についてないし、一度の誘いにほいほい乗るようじゃ、ろくな男とつきあえないし……妙な男に喰われてたまるか」

目を細めて怖い顔をした流聖が、凜子からのメッセージに返事をするのを見た明日名は（そんなに大切なのに、他の男に凜子ちゃんを渡す事ができるのか？　お前の合格ラインに達する男はこの世界に存在しないような気がするんだけどなあ……流聖本人以外は）とため息をつくのであった。

さて、凜子は何をしていたのかというと。

引き続き、服の片付けをしていた。

凄腕の『婚活コーディネーター』である流聖に、ワードローブの整理を指示された凛子は、師匠の言う事には絶対に従う忠実な弟子としてせっせと服を仕分けした。

「なんなら、俺が行って手伝ってやってもいいが？」という流聖の申し出に、心を動かされた凛子であったが……いやいや、妙齢の女性として、そこは動かされてはいけないところである！

特に、下着の分別は！

捨てる物と残す物を分けるために、数少ない私服の写真を並べては撮って流聖に送ったら、やはりというか、残念というか、ほとんどの服がリサイクルゴミ行きとなった。

胸にサボテンのアップリケの付いた変な服も、十年着て色あせたスカートも、ごわごわのデニムだったのに柔らかな手触りになるまですり減ってしまい型崩れしたジーパンも、着ると楽だが昭和のおばあちゃん風になってしまうワンピースも、すべて流聖に却下された。そして、着る物がほぼなくなった凛子は会社の帰りに流聖に拉致されて、三日続けて服を買い、最後には下着まで買わされた。

『おい！　なんだこれは！　これを女性が身につけているとは世も末だ！　端が破けて糸がほつれているのと、肩ヒモがびろんと伸びたものと、本体が薄くなってレース状に透けてきているものは即刻捨てろ！　なに、全部なくなる？　そして、頼むから、上下を揃えてくれ！』

さすがに最初から写真を送れとは言わなかったが、凛子の説明する下着の状態に不安を覚えて、やはり『婚活コーディネーター』として写真を送らせた流聖は、スマホの画面を見て部屋でひっくり返り、そしてすごい勢いで文字を打ったのであった。

『こんなものを身体につけてたら、いつまでたっても結婚できないぞ！　結婚運を全部吸い取られるぞ！』

『まるで呪われた防具ですね！　って、えー、それは困ります。身体に馴染んで着やすいんですけれど……やっぱダメですか』

流聖の基準だと、下着を総取り替えしなければならないので面倒だと、凛子はがっかりした。

しかし、流聖にきっちりと指導された。

『ダメに決まっているだろうが！　お前は、ゴムの伸びたステテコを履いた男と付き合いたいのか？　向こう側の透けてるようなすり減ったステテコを履いた男と！　裾がほつれて、糸が何本もぶら下がっているステテコを履いた男と！』

炎を背にして怒るサボりんのスタンプが、五つ続けて送られて、最後に一言『捨てろ』と来た。

『……スケスケステテコマンは、確かにいやですね』

良い下着の重要性に納得した凛子は、流聖に連れて行かれた（なぜ知っている⁉　という突っ込みは置いておいて）ランジェリーショップで身体のサイズを測ってもらった。

「師匠！　なんと、ブラのカップが間違っていた事が判明しました！　ツーサイズもアップしたのです！　奇跡です、ここに奇跡が起こりました！」

「それはおめでとう」

スーツ姿のイケメンが、鼻息も荒く試着室から叫ぶ凛子に応えて、頷きながら拍手をした。

「よくわからんが、そんなに伸びるまでに着ていたとは、女子としてかなり残念な事だろうな」

店員たちがものすごい勢いで頷いたので、流聖の言う事は図星なのだろう。

「費用は気にせず、新しいサイズで全部揃え直せ」

「はい、ありがとうございます！　あの……見たいですか？」

「その必要はない」

余計な事はさらっと却下する、クールなイケメンだ。

「そして今後は、伸びた下着は即刻処分しろ。でないと、身体も下着に合わせてでろんびろんと伸びる羽目になるぞ」

「ひいっ、なんて恐ろしい！」

でろんびろんとなってはたまらないと、凛子は五年以上苦楽を共にしてきた下着との決別を心の底から決意した。

彼女は店員と相談をして、試着を繰り返し、普段用のシンプルな下着のセットとデート用のおしゃれなデザインのセットを数点ずつ購入した。質の良い物なので結構な値段であったが、流聖がカードで払った。

「師匠、お値段を見たら、あまり可愛くない数字が付いていていましたが……」

着替えて出てきた凛子は恐る恐る言った。ちなみに、古い下着は丸めてバッグに突っ込んでおいた。

そして、ぴったり身体にフィットする着やすいランジェリーは、スーパーの片隅で売っているお徳用の下着とはレベルが違う値段だったのだ。

「そんな事は、お前は心配しなくていい」

流聖がにっこり笑って凛子の頭をくりくりと撫でたので、彼女は真っ赤になって「あの、ありがとうございます」とお礼を言うしかなかった。

そう、この時点で、凛子の身に付けるものはすべて、流聖が払っていたのだ。

それを知った時、凛子は「そんな申し訳ないことはできません、ボーナス払いで自分で買います」と断ろうとしたが、「弟子をしっかりと育ててこそ、一人前の『婚活コーディネーター』なんだ。お前は気にせず、修行に励むがいい！」と言われて、師匠の深い愛に感動しながら「はい！」と返事をしてしまった。

そんな凛子と流聖が買い物をした店では。

『ちょっと面白いけど、彼女さんが可愛らしくてお似合いのカップルね。彼氏さんはカッコいいし優しいし、羨ましいわ』と微笑ましく見守られていた。

なんと、すべての人に『師匠と弟子プレイ』をする恋人同士だと思われていたのだ。

まったく残念なふたりである。


「ええと、今度の土曜日ですか？」

「そうだ。午後五時からの婚活パーティーに出席してもらう」

「いよいよリベンジですね！」

「そういうのはいらない」

「ええっ？」

やる気満々の凛子は、流聖の言葉にこけてみせた。

「まだお前は修行中の身だ、リベンジだなどとは思い上がりにも程があるぞ！」

「はっ、申し訳ありません、師匠！」

「というのは冗談で」

「真顔で冗談はやめてください、師匠！」

おしゃれなカフェでの漫才もやめて欲しい。

「凛子は、会社の男性社員とも仲良くなったんだろう？」

「はい。わたしからは用事がない限り話しかけませんが、結構雑談をする機会が増えました」

「うん、いい傾向だ」

顎に手を当てた流聖が頷いた。カフェにいた女性客はそんな彼の姿を見て「わあ、カッコいい！」と頬を染めていたが、凛子は真似をして顎に手を当て「ふっ、いい傾向ですよ」と頷いた。どうやらイケメンに対する感覚がすっかり麻痺（まひ）しているようである。

「このできのいい弟子に、キャラメルアップルコンポートサンデーを食べさせたくなりませんか？」

「林檎と凛子をかけたのか！」

「ふっ」

「よし、食え。ただし、師匠に一口献上する事を忘れるなよ」

「御意」

流聖が手を挙げるや否や、ウェイトレスが「キャラメルアップルコンポートサンデーをおひとつですね」と瞬時に反応し、流聖と凛子は声を揃えて「……デキる」と呟いた。

「しかも、この婚活パーティーは、社会的に地位が高くて裕福な、いわゆるハイクオリティな男性しか参加できないパーティーで、女性の参加費用はなんと二万円なんだ」

「なんと！」

「もちろん、明日名のところが持つ」

「ありがとうございます、明日名さんのとこの会社！」

「だからまあ、結果には期待しない。世の中にこんな奴らも生息してるんだなという、社会科見学に行くようなつもりで行ってこい」

「はい、わかりました！　魑魅魍魎の集まりを墓石の陰からそっと観察してきます！」

「……凛子は結構勘がいいよな……」

　差し出されたキャラメルアップルコンポートサンデーの、大きな一口（師匠の為に、スプーンに乗るだけ乗せたのだ）を凛子に貰った流聖は「なかなか美味いな」ともぐもぐ口を動かしてから呟いた。そして、この残念なふたりは、今まさに『ひとつのスプーンであーんをする間接キス』という、誰が見ても誤解を招く行動をしている事に気づかないのであった。


「あ、佐藤さま。よくいらっしゃいました」

（うわあ、流聖のしごきにあって大変だね、凛子ちゃん。毎度ご苦労さま。でも、今日も素敵に可愛いよ）

「本日のパーティーを楽しみにしていました。明日名さん、どうぞよろしくお願いします」

（師匠の命において、闇に蠢（うごめ）くハイスペック男子とやらを観察させていただきに参りましたよ！　ふふふ、ダンジョンマスターを倒そうなどとは思いませんが、宝箱をひとつかすめ取っていければと思います）

　凛子と明日名は視線で会話したが、ほとんど通じていなかった。

　まあ、凛子の思考について来られるのは流聖くらいのものだ。その点では彼はある意味、立派な師匠であるといえよう。

今日の凜子は、白地に紺色のアクセントの入った、シンプルなツーピースを着ていた。スカートがフレアーで女性らしく上品なデザインだ。髪は華やかな雰囲気を出すべくふわりとアップにされ、うなじが見えてなかなか色っぽい。

このヘアスタイルは先程、薫のヘアサロンでセットしてもらったのだ。もちろん、『婚活コーディネーター』の流聖が監修している。

彼は凜子をパーティー会場の最寄り駅まで送ると「じゃあ、がんばってこい。終わったらすぐ連絡しろ。くれぐれも持ち帰りはされるなよ」と凜子を戦場に送り出した。

ペールブルーのバッグに、ヒールの高さが3センチある真っ白な革のスニーカーを履き、おとなしいようで少々遊び心のあるファッションの凜子は「はい、師匠。がんばります」と笑顔で頷き、ひとり会場を目指した。

そう、ひとり目指したのだが。

「なあ流聖……そんなに心配なら、凜子ちゃんをパーティーに出すなよ」

明日名は、パーティー会場の裏にある社員の控え室で、長い脚を組んでどっかりと座る流聖に向かって呆れて言った。

そう、彼は凜子と別れたふりをして、実は会場にこっそりと潜り込んでいたのだ。

「凜子の事は『佐藤さん』と呼べ、お、サンキュ」

明日名からブラックコーヒーの缶を受け取った流聖は、にやりと笑った。ＣＭのワンシーンのようなその姿に、居合わせた女性スタッフは一瞬見とれて、それから（いやいや、あれは残念な保護者、見た目に騙されてはいけないわ）と首を振った。

さすがは婚活関連会社の女性社員である、男を見る目は確かのようだ。

「気にするな、俺は補助輪のようなものだ。凛子がひとりで成婚への道を歩き出せるように、陰からそっと見守る。それが『婚活コーディネーター』の役割だからな」

「はいはい」

完璧な明日名のスルー力である。さすがは長年、イケメンなのにどこか残念な流聖と付き合い、その辛い恋愛遍歴を見てきた友人である。

明日名は「こいつは適当に放置していいからね、気にしないで放置でよろしくね」とスタッフたちに声をかけて、パーティー会場へと向かった。

男女が別の入り口から入り、前回よりも丁寧な受付を済ませてパーティー会場に入った凛子は、スタート前から異様な熱気に包まれたその場の雰囲気に飲まれそうになった。

（ひょえええ、覚悟はしていたけど、これまたすごいところだわ）

これは、年に二回しか開催されない、超ハイスペックな会員専用の、特別なパーティーなのだ。広めの会場には、料理の置かれたテーブルとソフトドリンクが置かれたテーブルがそれぞれ二ヶ所あり、アルコールを出すバーカウンターまであった。集まった人数は、百五十人程だろうか。

（ここは王宮の舞踏会か？　わたしの役どころは、魔法使いに変身させられないで来

ちゃったシンデレラってところかな）

さすがは女性の参加料金が二万円の、ハイソサエティ専用の婚活パーティーである。照明は輝くシャンデリアだ。

男性は、お高そうなスーツに身を包んでいる。カジュアルなスーツを着ている人もいたが、個性が突出したちょっと引いてしまうような男性はいない。

女性は皆自信満々な顔でおしゃれをしている。そして、いわゆる婚活ファッションに身を包む可愛い雰囲気の女性も多いが、二度見する程容姿端麗な女性もちらほら見られた。

ブランドに疎い凛子にはわからなかったが、それでも彼女たちが持つバッグについているロゴには見覚えがあるし、もちろん、メイクもプロのモデルかと思うくらいにバッチリ施されている。

（魑魅魍魎っていうか、お人形さんみたい）

下地とかなんとかクリームとかをしっかり塗り込んで、毛穴レス状態に仕上げた肌は、本当に人形のように美しかった。もしかすると、本当にプロのモデルなのかもしれない。

今日の出席者はすべて、身分証明書と独身証明書の提示が義務付けられている。そしてもちろん、この業界で過去に問題を起こした者は門前払いされている。

男性は学歴に年収や資格や勤務先などを証拠の書類で詳しくチェックされるし、女性は32歳以下限定で外見はもちろん、スキルや学歴、そして勤務経験もきちんと申告する。

経済的に変化が大きい日本での最近の婚活界では、いざという時に備えて稼ぐことができる自立した女性が求められているのだ。

ハイスペックな男性ほど、依存傾向のない女性を選ぶ。

夫の収入をあてにする女性は、余程の美しさと若さがあれば、いわゆる『トロフィーワイフ』を求める男性に選ばれる可能性もあるが、今の日本では少数である。

そして、実家がお金持ちの箱入り娘は、親が縁談を用意するのでこのような場所には出てこない。そのため、箱入り娘を求める裕福な男性はここには来ない。

つまり、玉の輿を求める女性は多いが、実在する玉の輿は少ないのだ。本日のパーティーでも、男性の人数は多く見積もっても女性の三分の二といったところだろう。

男性の参加条件が、年収一千万円以上の、上場企業勤務、外資系企業勤務、医師、会社経営者、会社役員、国家公務員などのハイステイタスである事なのだから、この人数比は仕方がない事だろう。

「先日の、タワーマンションでの食事会でお会いしましたね」

「その節はお世話になりました」

離れた所で男性同士が挨拶を交わしている。まだパーティーがスタートしていないので、男性と女性は区切られた場所にいるのだ。彼らは、いわゆるセレブなパーティーでよく顔を合わせているのだろう。そして、女性は真剣な目で男性の品定めをしている。

「あっ、バッジが付いているわ……」

誰かが呟いた。

バッジとは、士業のバッジの事だろう。このパーティーには、士業の男性も多く参加しているのだ。

（鷹や！　鷹の瞳を持つ女がここにいる！）

凛子は恐れおののいた。離れたこの位置から、男性のスーツについた士業バッジを確認するとは、かなりの強者の婚活女性である。

いや、違う。

それを口に出してしまうのは、まだまだ未熟な者なのだ。その証拠に、ちらりとその女性を見た他の婚活ファイターの口元が「ふっ」と綻んでいるではないか！

凛子はぶるりと震えた。

（すごいよ、婚活バトルの幕開けだ！　さあ、何か盾になる物を探さないと、マシンガンで蜂の巣にされてしまう……）

本気でテーブルの下に潜り込もうかと考える凛子であった。

そして、その一時間後。

「あのあのあのっ、すみません、ちょっとトイレに行ってきます！」

「あっ、ちょっ」

「待って！」

（スニーカーを履いてきて良かった！　師匠のチョイスは素晴らし過ぎです！）と内心で

思いながら、凛子は引き留めようとするハイソ男性たちを振り切って逃げ出した。

「街に紛れ込んだ珍獣ですかわたしは？　餌付きの捕獲網を形成するのはやめて欲しいですよもうっ！」

トイレの個室に入って座った凛子は、『婚活パーティーの恐ろしさを舐めていた』と、先程までに起こった事を振り返った。


時間通りに司会の男性がパーティーのスタート宣言をし、ハイスペックな男女が集うパーティーが始まった。豪華な会場での立食パーティー形式なので、結婚式の二次会を思わせる。そして、会費が高いだけあって、テーブルには美味しそうな食事がたっぷりと用意されていた。

最初からオブザーバーに徹する予定の凛子は、食事を確保して会場の隅で堪能し、ゆっくりとパーティーの様子を観察するつもりで、料理のテーブルに向かった。お皿を持とうとすると、横から「僕が持ちますよ」と声をかけられた。

「え？」

「こんにちは。良かったら、盛り付け役をしてください」

お皿を二枚持った男性が、凛子に向かって笑顔で言った。

「その方が効率的でしょ？」

少しぽっちゃりしているけれど、人の良さそうなその男性は、凛子よりも5センチくらい背が高くて、カジュアルなスーツを着ていた。

「あ、こんにちは。はい、なるほど効率的ですね」

凛子も笑顔で答え、トングを構えて「さあ、どれからいきますか？」と男性に尋ねた。

そして、凛子はタイミング良く差し出されたお皿の上に「これは？」「好きです」「こっちは」「いいですね」と次々に盛り付けて、とても豪華なふた皿を作った。協力して料理をよそっていくその手際たるや、まるで息の合った餅つきのようで、周りの者はしばし手を止めて見惚れるほどであった。

「さあ、あっちでゆっくりと食べましょうか」

「はい」

男性と凛子はニコニコしながら会場隅に並んだテーブルに行った。彼は皿を置くと「飲み物は？」「烏龍茶で」と凛子から注文を取り、ぽっちゃりしている割には素早い身のこなしでドリンクコーナーから烏龍茶をふたつ持って戻ってきた。

（なんか、あの人……あ、雰囲気がドリト○先生に似てるんだ！）

凛子は、子どもの頃に読んだ小説を思い出して、おかしくなった。

男性から烏龍茶を受け取って飲んでから、凛子は言った。

「すごいですね！　わたしたちが一等賞ですよ」

「ははは、このパーティーの食事は美味しいんですよ。まずは食べながらお話ししましょう」

「はい」

凛子は、有名なデパートからケータリングされたという美味しい軽食に舌鼓を打った。

彼女は「わあ、ローストビーフ大好きなんです」「わたしもですよ、もっと取ってきますね」「あっ」「はい、お代わりをどうぞ」「わあ、ありがとうございます！　美味しー」などとドリト○先生に餌付けされていたが、お皿の半分を平らげたところで「ああっ」と声をあげた。

「どうしましたか？　マリネに骨でも入っていましたか？」

「いいえ。忘れてました」

すっかり食事に夢中になって、ニコニコしながら食べていた凛子は、神妙な顔をした。

「わたし、今日は婚活パーティーに来たんですよね」

ドリト○先生に似た男性も、神妙な顔をした。

「奇遇ですね、僕もです」

そして、ふたりは顔を見合わせて笑った。

「初めまして」

「はい、初めまして」

男性が、自分は医師をしていると自己紹介したので、凛子は（やっぱりドリト○先生だ）とおかしくなった。

「こちらのパーティーには、よく参加されるんですか？」

「うん。残念ながらなかなかパートナーが見つからなくてね、三度目の参加なんだ」

36歳だという医師は、人の良さそうな笑顔で言った。

「だから、スタートダッシュで美味しい物をゲットする技を身につけたよ！」

「お嫁さんをゲットする技を身につけてくださいよ！」

「まったくだ！」

ふたりは、空のお皿をスタッフに渡して、今度はソフトカクテルを飲みながら笑った。

「でもね、実は僕は、一番にあなたと話そうと狙ってたんだよ」

「わたしと？」

凛子はきょとんとしたが、すぐに「ありがとうございます」と満面の笑みを浮かべてお礼を言った。

「僕の番号を覚えておいてね。はい、カード」

凛子は連絡カードを渡された。

「もうすぐ司会が、お相手のチェンジを指示するから。できればまた話したいから、よろしく」

ちょうどその時、司会が相手を変えるようにと言ったので、ドリト◯先生みたいな医師は名残惜しげに凛子に片手をあげ、離れて行った。

「ドリト◯先生、さようならー」

見送る凛子の前に、今度は彫りの深い顔立ちの長身の男性が立った。ビシッとスーツを着たその男性は身体を鍛えているようで、モデルの様に服を着こなしている。

「はい、烏龍茶」

「ありがとうございます」

　甘いカクテルを飲み終わり、さっぱりしたものが飲みたかった凛子は、美味しそうに烏龍茶を飲んでから「あれ？　なんでわかったんですか？」と男性に尋ねた。

「さあ、なんででしょう？」

「……わかった！　さては、あなたはメンタリストですね！」

　男性はぷっと噴き出した。

「メンタリストか。なるほどね」

「え？　当たりなの？　当たってますか？　わあ、本物のメンタリストなんですね」

　嬉しそうな凛子に、彼は「うーん、惜しい！」と笑った。

「人の思考を読むという点では、似てる仕事かな。僕は弁護士だよ」

「なあんだ……」

「こらこら、そこでがっかりしない」

「あははは、ごめんなさい」

　凛子は笑ってから「どうしてわたしが烏龍茶を飲みたいってわかったんですか？」と尋ねた。

「それは、君の事をずっと観察してたからね。次は烏龍茶を飲むだろうなって読めたんだよ」

「観察？　野鳥が好きなんですか？」

男性は笑いながら「本当に面白い子だね」と言った。

「野鳥ではなくて、女性を観察してました。僕はここに、結婚相手を探しに来たからね」

「あっ、そうだった！」

「どうやら、君もそうみたいですけど？」

「そうでした、忘れてましたけど思い出しました」

「それは良かったよ。では、結婚相手候補として、少しお話をしてもらえますか？」

「お話し中、申し訳ありませんが、良かったらわたしもそのお嬢さんと話をさせてもらえませんか？」

横槍が入ったので、凛子はそちらを見た。弁護士だという男性は、新たに現れた男性が近づいてくるのに気づいていたらしく、肩をすくめて言った。

「ここは時間が限られた場ですからね。不本意ですが、どうぞ」

「すみません、僕もそちらの方とお話しさせてください！」

「あの、とりあえず、カードだけでも渡したいんですけど！」

「え？　え？　ちょっと待ってください」

「こんにちは。どうしてもあなたと話してみたくて。笑顔がすごくいいですね、本当に癒されます。こちらのパーティーではお見かけしませんでしたが、初参加ですか？」

「はい、初参加で、ちょっとどうしたらいいか……」

「ローストビーフ、お好きですよね？　さあ、どうぞ、たくさん食べてください」

「わあ、ありがとうございます。って、なんで知ってるんですかーっ!?」

怖い。

野鳥の会の人もびっくりなほど、見られている。

凛子は、ハイスペックな男性に囲まれていた。

数人は、凛子が喜んで食べていたローストビーフやカナッペなどが載った皿を差し出してきている。

「すみません、少しでいいですから、ふたりで話をさせてください。僕は会計士をやっています。事務所を経営してます」

「○○商事の役員をしています。連絡カードをどうぞ、お願いします」

連絡カードが目の前にずらっと並んでいる。

（やめてー、ハイスペック酔いしちゃうよ！）

そして、そんな凛子を、ハイスペックな美女たちが遠くから睨みつけていた。

（ひいっ！）

怖い。

怖すぎる。

魑魅魍魎を遠くから観察する筈だったのに、魑魅魍魎に囲まれている。

「すっ、すみません！　あの、あのっ！」

こうして凛子は、トイレに逃げ出す羽目になったのであった。

トイレで震える凛子が考えた通り、彼女はこの婚活パーティーの『珍獣』であった。凛子は女性の参加費が二万円だという事しか知らないが、このパーティーは、男性の参加費はなんと二千円であった。

婚活界において、女性はかなり優遇される。婚活パーティーでも婚活アプリでも、女性の数が多ければ多いほど男性がやって来る。そのため、女性の参加費用は常に男性よりも安く設定されているのだ。

しかし、このパーティーでは、女性の参加費用は相場の十倍位ある二万円。

これは生半可な気持ちでは払えない値段である。

それでも女性の人数が多いのは、このパーティーに参加する男性は高ステイタスであり、確実に独身で、本当に結婚する気がある者ばかりだからだ。

『婚活』と称していても、そこには遊び目的の男性も多く寄ってくる。結婚を餌に女性を弄ぼうと企むクズも存在するし、自称『医者』の数は全国の医師免許を持つ者の人数よりも多いと言われているくらいだ。

会ってみたら実は既婚者だったという話も多い。中には独身だと偽った男性と付き合って、両親に紹介までしてから相手の妻に怒鳴り込まれる、などという悲惨な目に遭った独身女性もいるのだ。

そして前回、凛子が遭遇した様な、犯罪まがいの真似をする者もいる。

そのため、身元の確認が完全な、結婚紹介所を通した婚活や親戚や友人の紹介とは違って、ネットでの婚活では慎重すぎるくらいに慎重に進めるのが鉄則である。

この超ハイスペック婚活パーティーに参加できる男性は、身元を確認できる書類をふたつと独身証明書の提出を義務づけられている上、ほとんどが信頼できる筋からの紹介だ。上場企業の福利厚生にもなっていて、会社からの申し込みも多い。

ステイタスが高い人々は顔を潰す事のダメージが大きいため、遊び半分で参加して評判を落とすような真似をする者もいない。

というわけで、例え二万円を払おうとも、スペックの良い独身男性と数多く出逢えるこのパーティー（帰りには某高級果物屋の特別なお土産も貰えるのだ）は、婚活女性の間で大人気なのだ。


そして、大枚をはたいて参加した女性は皆真剣だ。凛子は説明されてすぐに忘れたが（今日の目的は婚活ではなく魑魅魍魎の観察会だと思っていたためだ）このパーティーの参加者のプロフィールは、スマホで見ることができる。

スタート前から勝負は始まっていた。

凛子以外は。

女性陣が素早く男性のプロフィールを調べ、獲物を狩る獣の様な鋭い視線で彼らに狙いを定めている中で、凜子は目の前のごはんに気を取られていた。

そして、ドリト○先生に雰囲気の似ている医師と一緒にのほほんとして美味しい軽食に舌鼓を打ち、優しく話が上手い医師に乗せられて、いい笑顔でローストビーフへの愛を語っていた。

ピリリとした雰囲気の婚活パーティー会場で、そこだけが別世界の様に見えたため、男性たちは『あの子はいったいどんな子なんだろう?』とスマホでプロフィールを見た。

すると、そこにはこんな事が書かれていた。

『30歳。一人暮らし。就職と同時に家を出ました。四年制大学を卒業後、某商事会社で正社員として働いています。事務職ですが、結構いろんな仕事が回ってくるので、何でも屋さんです。営業のプレゼンの補佐に駆り出される事もあります。真面目で仕事が正確だと言われます。今の会社は福利厚生が充実していて既婚女性が働きやすい職場なので、ずっとここにいたいです。趣味はサボテンを育てることと、サボりんグッズを集めること。行ってみたいデートの場所は、水族館や植物園です。』

非常に地味なプロフィールである。

他の女性が『モデル事務所に所属しています』『デパートの受付をしています』『趣味はホットヨガやフラワーアレンジメントです』『海外旅行が好きです』『英会話スクールに通っています』などとキラキラしたプロフィールなのに、凜子だけが地味である。

凜子のプロフィールを読んだ男性が思わず『サボりん』を検索してしまったほどである。

そして、凛子が着ているものは質は良いがブランド品ではないし、似合っているしなかなか可愛らしいが流行の服でもない。

メイクも、他の女性はジェルネイルにまつ毛エクステで美しく盛っているのに、凛子のは塗っても落としてもあまり変わりがなさそうなナチュラルメイクである。爪には艶があるが、コンビニで買った五百円のピンクベージュのネイルが塗られているだけである。

さて、ここに集まった高スペック男性の胸の内を見てみよう。

彼らはそのスペックの高さゆえに、独身女性のターゲットとなりやすい。特に、年収が一千万円を超えるとなると、女性たちは裕福な生活を期待して、彼らとの結婚を望む。

しかし。

しかしである。

彼らはハイスペックと言われてはいるが、億万長者ではない。今の日本では、たとえ夫の年収が一千万円あっても、のんびりと専業主婦をしていられるものではない。子どもの養育に莫大な費用がかかるし、大企業といえども何が起こるかわからないからだ。終身雇用が遙か昔の夢になった今は、いつ何時経営が悪化して、早期リストラされるかわからない。

そして、何があるのかわからないという点では、経営者である者は余計にそうである。

会社の経営をするという事は、大きな責任が男性にかかり、ひとつの判断ミスや健康管理の不備ですべてを失う危険もある。華やかな生活に思えるが、実は何があってもおかしくない仕事なのだ。

そのため、ハイスペックと呼ばれる彼らとしては、妻となる人にはできる限り働いていて欲しいし、贅沢（ぜいたく）な趣味は持って欲しくないのだ。

皆、トロフィーワイフではなく自立した堅実な性格の女性を求めている。

そのような視点からすると、まだ30歳の若さで、卒業と同時に自立して暮らしている上、しっかりした企業の正社員である凛子は、とても好ましいプロフィールをしていた。

そして、本人を見ると、無邪気な笑顔でローストビーフを頬張る、なんとものんきというか、幸せそうというか、心和む女性なのだ。医師との会話で大きな口を開けてコロコロと笑う、可愛らしい女性なのだ。

まさに珍獣、ライオンやトラの群れなす超ハイスペック婚活パーティーに紛れ込んだ、ふわふわの子猫ちゃんなのである。

『この珍獣を逃すわけにはいかない』と凛子の元に男性が殺到したのには、このような事情があったのだ。


さて、トイレで震える凛子だが。

さすがにこのまま女子トイレにこもっているわけにはいかないので、観念して個室から出ると、手を洗った。

ペールブルーのバッグ（もちろん、流聖が買い与えた物だ）から化粧ポーチを出して軽くメイクを直すと、先程受け取った連絡カードが目に入った。

（あ、これ、あの時と同じカードだ……）

凛子を騙して連れ去り、複数での凌辱を企てた男に渡されたカードと同じデザインのカードだ。

（ハイスペックでも、男は男……この前みたいな事を考えている変な人がいないとは限らないかも……）

凛子の手が震えた。

忘れていたはずの恐怖感が、突然襲ってきたのである。

「やだ、今頃になって怖くなってきちゃったよ……」

目眩がした凛子は、洗面台に手をついた。そのままずるずるとしゃがみこむ。

「あの人たちの中に、変な人がいたらどうしよう？　この前のあの男の人だって、わたしは良い人だと思ったのに……」

爽やかな青年は、凛子を連れ去ろうと仲間と話していた。

あの時、偶然にスマホの会話を聞いたから逃げられたけれど。

もしも、疑わずについて行ったら、凛子は……。

「怖い……怖いよ……」

凛子が立てないでいると、トイレに入ってきた女性が驚いて声をかけてくれた。

「どうしましたか？　気分が悪いんですか？　わ、顔色が真っ青！　待ってて、誰か呼んでくるからね」

親切な女性がスタッフに連絡してくれたので、すぐに明日名がやってきた。

「凛子ちゃん、大丈夫⁉」

「明日名さん、すみません、なんか、思い出して、怖いんです……怖い……」

震える凛子を見た明日名は、自分に怒りを覚えた。

「これは……フラッシュバックか！　ごめん凛子ちゃん、こうなる事を予想するべきだった、俺のミスだ、本当にすまない！」

フラッシュバックとは、強いトラウマ体験の記憶が突然蘇る現象だ。

それまで何でもなかったのに、連絡カードをじっくりと見た事が引き金になって、拉致されそうになった恐怖と不安が凛子を圧倒したのだ。

「怖い、助けて……」

「大丈夫だ、凛子ちゃん、もう怖い奴はいないからね」

明日名は、小さく丸まり身体を強張らせて震える凛子を抱き上げると、そのまま控え室に向かった。すると、ちょうど流聖が出てくるところだった。

「凛子！」

「おっと」

流聖に凛子を無理やり取られた明日名はたたらを踏んだ。

「凛子、大丈夫か？　どうしたんだ？」

「師匠……うう、師匠、師匠」

まともに喋れない凛子に代わり、明日名はフラッシュバックを起こしている事を説明した。

「わかった、そういう事なら俺が凛子を保護する。明日名、タクシーを呼べ！　俺が連れて帰る」

「頼む」

流聖が珍獣を保護することになった。明日名には呆れた目で見られていたが、こうなってみると婚活パーティーの裏で待機していた流聖の判断は正しかったのだと言えよう。

「凛子、よくがんばったな。さあ、もう帰ろう」

流聖に優しく声をかけられてぎゅっと抱きしめられた凛子は、次第に落ち着きを取り戻した。

（……え？　あれ？　なんでここに師匠がいるの？　ええっ？　わたし、師匠にお姫様抱っこされてるよ！）

違った意味で落ち着かなかった！

突然現れた流聖に訳がわからなくなる凛子であったが、彼に触れているとなぜか恐怖感が薄れていくのを感じ、彼女はガチガチになっていた身体からようやく力を抜いたのであった。

第七章　凛子の決意

パニックが収まり、次第に力が抜けてきた凛子を、流聖は大切な宝物を扱うように抱きしめて離さなかった。彼女は目をつぶっていたためわからなかったが、彼は真剣な表情で凛子を見つめていた。

「流聖、下にタクシーが来ている」

明日名がエレベーターのボタンを押して、流聖たちを乗せた。凛子のパンプスが入った紙袋とバッグを腕に引っ掛けた流聖は、タクシーの所まで一緒に来ようとする明日名に首を振って言った。

「ここでいいからお前は仕事に戻れ。凛子のことは、俺が責任を持って面倒を見る」

「そうか。すまないが、頼む。凛子ちゃん、申し訳ないけどわたしはここで……」

「お前は『佐藤さん』と呼べ」

「……ブレない男だな」

「じゃあな」

流聖の言葉を残して、扉が閉まった。

　明日名は「流聖は信用できる奴だけど……あの様子にはなぜだか不安が……凛子ちゃん、大丈夫かなあ……」と呟いていたが、気を取り直してパーティーに戻った。

　会場では、男性たちが姿を消した凛子を探していたが、彼女がどこにもいないとわかると「いい子だったのになあ……」とがっかりした。そして、猛禽の様な女性の中に、心を和ませる女性が隠れていないかと探し始めたのであった。


　気分が落ち着いてきた凛子は「大丈夫です、もう自分で歩けます」と流聖に訴えたが、頑固な師匠はそれを許さなかった。彼女をタクシーに乗り込ませて目的地を告げると、そこでも横抱きにしようとした。

「大丈夫ですから」

「まだ顔色が悪いから、頭の位置を下げていろ」

「でも」

「下げろ！」

「はい、師匠！」

　凛子はこてっと身体を預け、流聖に膝枕をされる状態になった。アシカもびっくりの、たいした調教っぷりである。

「師匠、どこに向かっているんですか？」

「俺のマンションだ」

「ええっ？」

凛子が身体を起こそうとすると、またしても流聖に「下げろ！」と戻されてしまう。

「わたしのうちに帰るんじゃないんですか？」

「それについても検討した。しかし」

きりっとした表情で前方を見つめながら、流聖は言った。

「お前の体調が完全に回復するまでは、俺は師匠として責任を持って看護するつもりだ。となると、お前の住むアパートに俺が入り、そこにしばらくとどまることになるのだが……」

「申し訳ありませんが、まだ師匠をお迎えできるレベルまで部屋の清掃が完了しておりませんので、なにとぞお許しを！」

（あの部屋に入られたら、死ぬ！）

とりあえず、伸びた下着は捨てた……はずだが……長年、残念女子として暮らしていた部屋は、そう簡単には『婚活女子仕様』には変えられなかったのだ。

「落ち着け！　そして寝てろ」

狼狽えて起き上がりそうになった凛子はまたしても沈められた上、二度と浮かび上がらない様に頭を抑えられ、ついでに撫でられてしまった。

「いい子にしていろ」

（と、尊いご看病をありがとうございます！）

すっかり顔色が良くなった凛子は、イケメンに膝枕をされながら、頭をいい子いい子されるという萌える体験に少々鼻息を荒くした。流聖は話を続けた。

「そこで、俺はどこかホテルの部屋を取って看護する事も考えたが」

「ホ、ホテルですか！」

「費用は明日名さんとこの会社に持たせる」

「明日名の会社、ありがとうございます！」

「だが、その場合は、看護に必要な物品が不足するだろう」

流聖よ、どんな完璧な看護を目指しているのだ？

「したがって、お前を俺のマンションに連れて行くことにした。こう見えても俺はマメなたちだから、部屋は清潔で掃除も行き届いているし、大抵のものはある。下のコンビニに電話をすれば、不足したものがあってもすぐに届けてもらえる」

「……なるほど、さすがは師匠です、女子以上に女子力が高いだけあります！　それでは、この度はありがたきお言葉に甘えて、よろしくお願いいたしたく存じます」

男女交際の経験がほぼない凛子は、土曜日の夜、男性の一人暮らしの部屋にお持ち帰りされるというのに、まったく警戒心を持たずに賛成してしまった。

「気にするな、弟子の世話をするのが師匠の務めだ」

「はい。不肖佐藤凛子、師匠にどこまでも付いていきます」

「うむ、精進しろ」

真面目くさって言う流聖と凛子を、タクシーの運転手は（……そうは見えないけれど、武道をやっている人たちなんだろうか？）と不思議そうな表情でミラー越しに見たのであった。

というわけで、タクシーは流聖の住むマンションに着いた。料金を払うと、自分で歩けると言う凛子の意見を素早く却下し、再び抱き上げてエレベーターに乗った。

「師匠、『婚活コーディネーター』とはずいぶん儲かる仕事なんですね！」

都内にある豪華なタワーマンションに連れてこられた凛子は、流聖にお姫様抱っこをされながら感心して言った。ここは、まだ三十代半ばの男性が住むような住居ではない。

「いや、これは別の仕事で得た報酬を運用した利益で購入した」

さらっとそんな事を言う流聖に、凛子は「よくわからないけれど、さすがです、師匠！」と素直に感銘を受けた。

「ちなみに、一人で暮らすために購入したから少し手狭だが、将来はもっと広いマンションを新たに購入し、ここは賃貸に出す予定だ」

「生活設計もきっちりされているんですね！　さすがは師匠、素晴らしいです！」

「ふっ」

流聖が、腕の中にいる凛子に笑いかけたので、彼女は（くうっ、なんて凶悪なイケメンスマイル攻撃！）とさらに鼻息を荒くして、なんとか鼻血を出さずに踏み止まった。

マンションのルームキーは、流聖が身につけているスマートウォッチと声紋認証であった。時計を感知部に当てて「流聖」と名前を告げると、ロックの外れる音がした。

「うわー、こんなの初めて見ました！　そして、もう下ろしてください！」

「おとなしくしてろ」

流聖は部屋に入ってソファにバッグと紙袋を置くと、凛子を抱えたまま寝室に入り、彼女をベッドに下ろした。

「だいぶ顔色が良くなってきたが、少し休め」

ベッドに腰をかけた流聖が、彼女に布団をかけると手のひらを凛子の額に当てた。

「……辛い事を思い出させて悪かったな。俺の考えが甘かったせいだ。すまない」

「いいえ。自分でもびっくりしました。未遂で終わった事だし、本当にさっきまで忘れていたんです」

「そうか……」

流聖は凛子の頭をぽふぽふと叩くと「何か温かい飲み物を入れてくる」と立ち上がった。

「遠慮せずに寝ていろ。師匠命令だ」

「……はい」

凛子は、なぜか涙が出てきそうな気持ちになって、流聖の背中を見た。

（師匠、優し過ぎます……同じ男性でも、いろいろな人がいるんですね。変な人もいるし、師匠のように思いやりのある男性もいる……結婚するなら……）

そして。

（ここは、師匠のベッド！　あの、超イケメン婚活コーディネーター様でいらっしゃる尊い流聖さんが、毎晩横たわって身体を休めていらっしゃる、尊い尊い家具であるベッドと、お、オフトゥン、オフトゥンなのですね、あっ、なんか、仄かに、仄かに良き香りが漂って……落ち着け、落ち着くのです、凛子！　師匠の心からの厚意に、邪な感情を抱いてはならないのです、決して、決して邪な……寝る時はパジャマなのでしょうか……それとも、まさか、ぜ、ぜんら……）

邪な想いに100パーセント支配されていた残念OLの凛子は、戻ってきた流聖に「凛子、起きられるか？　あったかい蜂蜜レモンを作ってみたんだが」と声をかけられて、ベッドの中で小さく「ひいっ」と叫び、身体をびくりとさせたのであった。

凛子がベッドの上に起き上がり、流聖が自らふうふうして冷ましてくれた蜂蜜レモンを……いや、ここはあえて何も述べずにおこう……飲み頃になった蜂蜜レモンのカップを受け取って、少しずつ飲んでいると、その脇に流聖も腰を下ろした。

暗い部屋の中で、ベッドサイドの小さな灯りだけが灯っている。

「腹は減っていないか？」

「はい、大丈夫です。さっきのパーティーでは、主に食事をメインに活動していましたから。ローストビーフをたっぷり食べました」

「そうか、それは良かったな。美味かったか？」

「はい、とても美味しいローストビーフでした！　師匠にも食べさせたかったです！」

流聖は、ローストビーフの事を思い出していい笑顔になった凛子の頬を、長い指先でつついた。

「そうか。じゃあ、今度はもっと美味しいローストビーフをディナーで食べる訓練をしよう。肉汁がたっぷりの、極上のローストビーフだぞ」

「それはとても素晴らしい訓練ですね！　婚活にどう役に立つかまったくわかりませんが、積極的に取り組みたいと……思いま……」

途中から元気をなくした凛子の頭を、流聖は無言のまま優しく撫でた。

彼女は、自分が婚活の場でパニックを起こした事で不安になっていた。

（わたしは、もしかしたらもう、結婚相手として男性を受け入れられないのかもしれない。婚活が目的の男性は、親切そうに見える人でもみんな疑ってしまう……）

婚活戦士として致命的だ、と凛子は落ち込んだ。

（やっぱり、わたしには婚活は……というか、男性とのお付き合いは向いていないのかもしれないな。師匠にいろんな事を教えてもらって自分が変わった気がしたけれど、本当の佐藤凛子は地味でモテないOLなんだ……もう一生恋人なんてできないし……キスから先も知らないままで歳をとって死ぬんだ……）

「凛子？　どうした、大丈夫か？」

落ち込みの沼にずぶずぶ沈み始めた凛子に、心配した流聖が声をかけたが、彼女は蜂蜜レモンを飲み干すと、彼にそっとカップを返した。

（わたしは所詮、熟れる前に枝から落ちた毒林檎なんだ。いい気になってはいけなかったんだ）

「凛子？」

流聖がカップをベッドの脇に置いて、凛子の顔を覗き込んだ。

（そう、一生処女のままで人生が終わるんだ。だって、男の人が信用できないんだもの、そんな、信用できない相手とキス以上の事ができるわけが……ないし……）

「凛子」

彼女は目の前のイケメン『婚活コーディネーター』を見て、それからはっとして叫んだ。

「そうだ、師匠！」

「わあ！」

流聖は驚いてベッドから落ちそうになった。その手を凛子が掴み、ぐいっと引っ張り寄せた。

「どうした、佐藤凛子！」

「師匠、わたしは決心しました。ここは思い切って、自分の婚活に決着をつけようと思います！」

「決着をつける？」

「はい。というわけで、」

凛子は真剣な瞳で流聖を見つめながら言った。

「わたしを抱いてください！」

「…………」

薄暗いベッドルームを、長い沈黙が支配した。

「……え？」

「だから、師匠にわたしの初めてをもらって欲しいんです！」

流聖は混乱した。

「初めてとはつまり、俺が、お前を、その、抱く？　そして、婚活に決着をつける？　という事なのか？」

「そうです」

そう、凛子は流聖と一度だけ関係を持ち、それを思い出にして、一生独身を貫こうと考えたのだ。

（尊敬できて、側にいても恐怖感を感じない師匠とならできる！　師匠には迷惑かもしれないけれど、短い期間とはいえ弟子として育ててくれたのだから、ここはひとつ、師匠の務めとして一発がんばってもらいたいものです！）

それは師匠の務めではない。

一方で、流聖は別の事を考えていた。

（婚活に決着をつけるというのはつまり……凜子は俺と結婚をしたいと言っているのか？）

　違う。

（そ、そうだったのか。いや、しかし、本当にいいのか？　凜子は素直で可愛くユニークで魅力的な女性だ、今夜だって多くの男性の支持を集めていた。このまま婚活を続ければ、いい話だってたくさん来るだろう。だが、ここで婚活を終わらせて、俺との未来を選びたいと、凜子はそう決意しているのか？）

　だから、違う。

（そうか。確かに凜子は今までの女性と違って、俺と一緒にいても居心地が悪そうではなかった。いつも楽しそうに笑っていたし……いまだに手も握っていない関係だが……いや、握ったな。握ったし、訓練と称して何度もデートをしたな、うん。しかし、凜子がいつの間にか俺に対してそのような気持ちを育ててくれていたとは……知らなかった）

　流聖、違う！

（そして俺も……始めのうちは、凜子の事は弟子として可愛いと思っていた。今では弟子と師匠という関係を超えてとても大切な存在になっていたから、結婚相手を厳しく見定めて幸せにしてやりたいと考えていたが……）

　流聖は、はっと気づいた。

（なんて事だ、俺は凜子の事が好きになってるじゃないか！　こうなったら他の男に渡すつもりはない。この俺が凜子を幸せにすればいいのだからな！　よし、凜子はもう俺のものだ。婚活は終了だ、絶対に誰にも渡すものか！　だが……）

今まで、すべての恋人に『あなたとは一緒にいられないの』と去られている流聖は、独占欲に満ちた目で凛子を見て言った。

「凛子……」

流聖は、ごくりと唾を飲み込んで言った。

「（結婚相手は）本当に俺でいいんだな？　二言はないな？　後悔はしないな？」

凛子は、流聖を見つめて頷いた。

「はい、（わたしの初体験の相手は）師匠が、流聖さんがいいんです」

（くうっ、可愛い！）

頬を染めて流聖を見る凛子が可愛すぎたため、鼻血が出ないように片手で顔をぐっと押さえつつ、流聖は深呼吸して続けた。

「いいか、自分の言っている事をもう一度落ち着いて考えるんだ。お前は本当にこの俺を選ぶのか？」

「世界中で、流聖さんだけなんです（怖くないのは）。だから、流聖さんがいいんです。……やっぱりわたしでは、ダメなんですか？（えっちの相手になれませんか？）」

「なっ、そんな事はない、俺が言いたいのは、おい待て、ダメだなんて一言も言ってないし」

凛子の目が潤んだので、流聖は普段のポーカーフェイスをかなぐり捨てて慌てて言った。しかし、凛子の方は勢いで大それた事を言ってしまった、という気持ちがじわじわとこみあげてくる。

「すみません、わたしなんかでは師匠のような素晴らしい方の（えっちの）相手は務まりませんね。思い上がった事を言って、申し訳ありませんでした」

しょんぼりする凛子を見て、今度はもう絶対に凛子の事は逃がさない、という気持ちで言った。

「謝る必要はない！　いや、むしろ、お前の（結婚）相手が俺でいいのかという、そっちが心配だったわけで……お前の決意を疑って悪かった。俺も男だ。お前がそこまではっきりと気持ちを伝えてくれているのだから、しっかりと腹をくくろう」

流聖は、凛子の両肩をがしっと握った。

「こんなに大切な事を、お前の口から言わせてしまってすまなかった！　俺を（結婚相手に）選んでくれて、心から嬉しく思う。男としての責任は取る。だから、（今後の人生を）すべて俺に委ねろ」

「流聖さん……ありがとうございます……」

「泣くな」

流聖は、凛子の涙を指で拭った。

「流聖さん、わたし……今晩の事を、一生、忘れません……」

（このひと夜の想い出を胸に、ひっそりと生きていきます）

「そうか。それでは、ふたりの最高の夜になるようにしよう」

（記念すべき、ふたりの初めての時だからな。ああ凛子、なんて可愛いんだ！　もう一生離さないからな！　ふたりで末永く幸せになろう）

流聖は凛子の額に唇を落とすと、「大切にする」と彼女をぎゅっと抱きしめた。凛子も流聖にしがみつき「流聖さん、ありがとう。こんなわたしのわがままを聞いてくださって、ありがとうございます」と泣きながら何度もお礼を言った。

思いきり誤解し合うふたりの夜が始まったのであった。


流聖は逸る気持ちを抑えて凛子に言った。

「まずはシャワーを浴びてこい。今、風呂の準備をするからな」

（このまま凛子を押し倒してしまいたい！　だが、これは凛子の生涯初めてのアレなわけだから、ロマンチックな高層ホテルのスイートルームでご宿泊、とまではいかなくても、雰囲気を作ってできる限りの事をしてやらねば）

流聖の中で、本能対理性の戦いが始まっていた。

「あ、すみません、どうぞお気遣いなく」

「気にするな。風呂の掃除はすでにしてあるからな、ボタンひとつで湯が沸く」

さりげなく、家事もデキる男である事を凛子に示す流聖である。

早速『良い夫』アピールをするところが可愛らしいが、残念ながら、流聖にプロポーズまがいの事を言った自覚などまったくない凛子には伝わらなかった。

「ゆっくりしていろ」

　布団を持ち上げると、宝物を隠すように自分のベッドの中に凛子を埋め込んで、流聖は寝室を出て行った。そして、いそいそと準備をする。

「家族計画についても、後で話し合わなければならないな」

　彼はスマホを使って、下のコンビニに素早く避妊具と女性物の下着とメイク落としと朝食になりそうな物を注文した。着替えとタオルを準備するその様子からは、心なしか心弾む気持ちが伝わってくる。

「ふっ、予想外の展開だが……そうか、とうとう俺も身を固めることになるか。ふっ、ふっ、凛子が俺の嫁か……結婚式はやはり式場だな、客が多くなりそうだし。凛子は白無垢もドレスも両方似合いそうだ。どっちにするかな？　両方とも着せるか？」

　めちゃくちゃ心弾んでいた。


　そして、一方ベッドの中で待機中の凛子は。

「うわあああ、わたし、グッジョブ！　自分で自分を褒めてあげたいよ！　いやはや、一生処女をキープするかと覚悟したけど、あー、まさかの超イケメン師匠と！　初めての夜を！　ありがた過ぎて鼻が出てきたわ」

　ベッドサイドにあったティッシュをとって、ちんと鼻をかむ。

「よし、鼻血は出てない。師匠なら、きっとベッドテクニックも優れているに違いないし……うわ、エロ！　わたしってばエロ！　いや待て、エロいとかそういうこと以前に、初めてだと痛いっつー話だよね。そこは心配だな。でも、その瞬間は、まず間違いなく師匠もぜん……ぜんら……うほっ、全裸っすよね！　イケメンの全裸にハアハアしていれば、きっと痛みなんてお空の彼方にゴートゥーヘヴンするに違いあるまい。むしろ、痛みすらご褒美に……いやいや、あかん、そっちはまた別の大人の世界だ、初心者のわたしにはいささか刺激が強すぎる……ただでさえ、師匠のあの……うわあああ、そうだ、照れてないでアレをよく見ておかねば！　人生に一度きりの生で見るチャンス、余さずすべてをよく観察させていただきます！」

流聖の（ピーーー）を想像しながら天井に向かって『いただきます』の合掌をする凛子は、立派な変態である。

そして、ふたりがそわそわしていると、湯張りが終わった。

「凛子、立てるか？　なんなら、俺が入れてやってもいいぞ」

「そそそそんな、畏れ多いです！」

「遠慮するな、これも師匠の務めだ。身体も髪も綺麗に洗ってやるから」

「立てます立てます立てますから大丈夫です！」

凛子はベッドの脇で直立不動の姿勢をとり、ついでにビシッと敬礼して見せた。

「佐藤凜子、完全復活いたしました！」

「そうか……。こっちだ」

あからさまに残念そうな流聖が、彼女を浴室に案内した。

そして「着替えはこれだ」「ドライヤーはここにあるから使え」「下着を洗うか？　ほら、この洗濯ネットを使ってランジェリーモードで洗えばいいぞ、入れておけば俺がセットしてやる」「脱いだ服はこのハンガーにかけろ。スチームでシワを伸ばしておいてやる」と甲斐甲斐しく世話を焼き「師匠、その女子力の高さはなんですか！」と凜子を驚かせた。

「さあ、その服を脱げ」

「駄目です、師匠は外に出てください」

「……気にするな、俺たちはどうせこれから」

「わーわーわーきこえませーん」

凜子は流聖からハンガーをもぎ取ると、洗面室への扉を閉めた。そして、脱いだツーピースをハンガーにかけると、少し開けた扉の隙間から流聖に渡した。

流聖は、少々強引ではあるが基本的には紳士なので、凜子は安心してゆっくりと風呂を使った。そして（『尊いシャンプー』と『尊いコンディショナー』と『尊いボディソープ』を使って）全身を磨き上げた。

凜子は洗い終わって湯船に浸かりながら「これでわたしは流聖師匠と同じ香りに包まれてますね、むふうっ」と、怪しく興奮した。

幸い、婚活者の基本的な身だしなみとして、あらかじめ全身のムダ毛の処理もばっちりしてある。もちろんこれも『下着の上下を揃えろ』と同じく流聖師匠の教えだという点が残念であるが……凛子が気にしていないので良しとしよう。

「さてと、着替えって何を……うおおっ、こここここれは！」

風呂から上がった凛子は、そこに置いてあった流聖のTシャツをばっと広げて「これは噂に聞く彼シャツではございませんかっ！」と鋭く叫んだ。

「ううむ、さすがはジェントルマンな流聖師匠です。一夜限りの関係のわたしに、このような尊いものを用意してくださるとは……ああ、流聖さんの身体をお包みになった彼シャツを、畏れ多くもしがないＯＬの佐藤凛子が身につけさせていただきますよ」

彼女の脳裏には、このTシャツを着て白馬に乗った流聖の姿が浮かんでいた。

「ああ、流聖さんが、本当にわたしの王子さまだったなら……」

凛子はぶるぶると首を振って妄想を散らすと流聖のTシャツを抱きしめて涙をこらえた。

「凛子、身の程をわきまえなさい！　そして、もうこれ以上、わたしの心を揺さぶるのはやめてください師匠。わたしは……本気であなたを好きになってしまうではありませんか」

最後は力無く呟いてから、そっとTシャツをかぶった。鏡には、お風呂上がりで赤い頬をした凛子が映っている。ぶかぶかのTシャツを着て、泣きそうな顔をしている凛子は、涙をこぼさない様にと唇を噛んでいた。

そして彼女は『尊いドライヤー』で髪と涙を乾かした。

「ベッドで待っていろ」

丁寧にお礼を言おうとする凜子に、流聖は冷えたミネラルウォーターのペットボトルを渡すと頭を撫で、自分も風呂に向かった。

「ああ、何から何までありがとうございます」

その後ろ姿に深々と頭を下げる凜子は気づかなかった。流聖が、必死で萌えをこらえていた事を。

「くうっ、可愛い！　可愛すぎるぞ佐藤凜子！」

自分のTシャツを無防備にすとんと着ているその姿に、流聖は激しく萌えていた。

「危うくその場に押し倒してしまうところだった！　だが、俺の事を落ち着いた大人の男だと信じてくれる凜子に、そんな獣の様な事は出来ないからな。初めての夜なのだから、優しく丁寧に抱いて、できれば気持ち良くしてやりたいし、やはり新婚なのだからできる限り毎晩夫婦の営みはしたいし」

落ち着け流聖、まだ結婚したわけではない！

「とにかく、凜子を怯えさせては駄目だ。優しく、ゆっくり、ひとつひとつ手ほどきをしてやらねば。俺は、凜子の最初で最後の男になるわけだからな、ゆっくり、ゆっくりだ」

『ゆっくり』と呟きながら、ハイスピードで頭と身体を洗った流聖はハイスピードで髪を乾かしてベッドルームに「凜子、待たせたな！」と現れたので、まだ水を三分の一も飲んでいない凛子は驚いて「ひっ！」と飛び上がったのであった。

「り、流聖さん、それは……」

「うん？」

風呂上がりの流聖を見た凛子は、動きを止めた。

「寝る時はパジャマなのですね……」

（何これグレーのシルクのパジャマとか、もうイケメンにしか似合わないチョイス！）

「ここはブラックではなくグレーを選択するあたりが、見た目にそぐわぬ優しさに満ちた流聖さんを表すセンスなのですね、なぜならブラックだとあまりにも似合い過ぎて、『危険な黒豹』もしくはゴージャスな『夜の帝王』になってしまいますから！」

「替えのパジャマは黒だが、駄目なのか？　しかも今の『見た目にそぐわぬ優しさ』っていうのは俺を軽くディスっているのか？」

「うわあああ、妄想が途中から口から出ていたーっ！　どこから漏れたのでしょうか？　そして、ディスりとは違います、『男の優しさとはその時が来るまで隠しておく伝家の宝刀の様なもの』という意味です、ちょっとだけツンデレが入ったイケメン万歳という勝手な幻想ですからお気になさらずどうもすいません！」

流聖は「ふうむ」と唸った。

「あからさまに優しさを表す男は、お前の好みではないと？」

「ブラックコーヒーの底に沈んだコーヒーシュガーの甘さ、それが男の優しさでしょう」

「なかなか通だな」

流聖は、顎に手を当ててふっと笑い、凛子も顎に手を当てて「恐れ入ります」とふっと笑った。

「お前は面白い奴だな。とりあえず、このパジャマを気に入ってるのか気に入らないのかはっきりしろ。脱いで欲しければ今すぐ脱ぐこともやぶさかではない」

ボタンを外そうとするその手を、凛子は「もったいない！」と押さえた。

「いえ、そのお姿も大変気に入っておりますので、どうかそのまま、お召しになったままで！」

「了解した」

流聖はベッドの凛子の隣に腰を下ろして彼女を見た。彼女は今度は口から出さないように細心の注意を払いながら（うはあっ、湯上りの流聖さんが麗しすぎる！　ほんのり色づいた頰に少ししっとりした黒髪が、拝みたいほどに尊い！）と萌えた。

「どうした凛子、緊張しているのか？」

流聖にそっと肩を抱かれた凛子は（ぐおおおお、佐藤凛子、今夜は余さず流聖さんを堪能したいと思います！）と舞い上がり、ぶるっと武者震いをした。

「震えているのか……可愛いな」

凛子の内心などわからない流聖は、彼女の（萌えと煩悩で）震える手から飲みかけのペットボトルを取り上げると「悪い、俺も喉が渇いた」とまだ冷たいミネラルウォーターを飲んだ。

「あ……」

「ん？」

「……間接キス……」

少女マンガ的な美味しいシチュエーションを、凛子は逃さなかった。

（ふわあああ、流聖師匠が、わたしの口を付けたペットボトルから、水を、直接、お飲みになった！　これはまるで、初々しい青春の思い出の一ページ『彼とのドキドキ間接キスの巻』ではありませんか！　ええ、もちろんこのわたしの愛のメモリーにしっかり書き込みましたよ、毎晩エンドレスで動画再生可能でございますよ、ペットボトルからは無限に水が湧き出しますよ）

感激のあまり頬を押さえてふるふると震える、真っ赤な顔の凛子を見て、流聖は思った。

（初めての体験に怯えて震えたり、間接キスを意識して照れて真っ赤になったりする俺のTシャツを着た凛子よ、可愛過ぎるぞ！　こんなにも純情なくせに、さっきは大胆な逆プロポーズをしてくるし……くうっ、俺の嫁は世界一可愛いな！）

残念、すべて間違っている。

流聖は、凛子を抱きしめて言った。

「お前のすべて（一生）を俺が貰うぞ。本当にいいんだな」

「はい。（初体験を）貰ってください」

　凛子は尊さの余りに震える声で言った。その唇を、流聖はそっと塞いだ。ちゅっ、ちゅっ、と音を立てて何度か唇をついばむと、彼は凛子の唇を割って舌を侵入させた。

「んっ」

　口と口がぶつかったキスの経験しかない凛子は、未知の物体に戸惑った。

（ふおお？　なんかエロいもんがきたっ！）

　正しい認識である。

「んんーっ、んーっ！」

　いつのまにか、凛子はベッドに押し倒されて、流聖からディープキスをされていた。

　嫁を貰える喜びと凛子の可愛らしさ（すべて誤解なのだが）に、流聖の舌は今、歓喜の舞を踊っていた。そして、空いている彼の手が凛子の着ているTシャツをまくりあげようとした。

「あっ、待って」

「待たない」

「やっ、あああん」

　くるっと脱がされてしまった。

「凛子、綺麗な身体をしている。これは俺のものだ」

（流聖さんの全裸を拝むはずが、わたしが拝まれる羽目になっている！）

拝まれてはいない。

「や、恥ずかしいです……もう一度着せてください」

「誰が着せるか」

涙目になった凛子の抗議は却下され、流聖は身体に手のひらを滑らせながら、熱心に凛子の口腔内を探って、感じる場所を探り当てようとしている。

「や、そんなとこ、駄目です、流聖さんの手がエロ過ぎます」

「ありがとう」

「褒めたわけでは、んんっ」

独占欲に駆られた流聖に口の中を貪られ、思う存分に嬲られた凛子は、息も絶え絶えになり、得意の『尊い』も出せずに深く激しい口づけに翻弄された。

「りゅせ、さ、ちょ、ま、」

口づけの合間に、もっと初心者向けにモードチェンジしてもらおうと、目を開けて流聖に訴えようとした凛子だったが、彼女が目にしたのはいつものクールな流聖ではなく、獲物を食べる気満々な色気が漂う高貴な獣であった。

「ああん！」

彼は凛子の手を彼女の頭上に揃えて押さえると、耳を口に含んだ。

ぴちょり、と音を立てて、流聖は凛子の耳を舐めた。

「耳、駄目ぇっ」

「どうして？　ここが気持ちいいんだろう？」

脚の間を探られながら、耳元で低音ボイスが囁く。それだけで、凛子の背中にぞくりと何かが走った。

「もうこっちも濡れてきてるぞ」

「嘘、ああん！」

カリッと耳に歯を立てられた凛子が身体をくねらすと、流聖の指先が恥ずかしい場所をくすぐった。彼はそのまま凛子の首筋に唇を這わせる。

「ここに俺の印をつけていいか？」

「印、と言いますと」

「いわゆるキスマークだ」

「な、なんですと！」

驚く凛子が断らないので、流聖は首を遠慮なく吸って、しっかりとマーキングした。

（一晩だけの関係だというのに、萌えシチュエーションをしっかりとこなしてくださる流聖師匠、さすがです！　やはりわたしの目に狂いはありませんでした、初体験の相手として的確な人選でした！）

その人選がまったく的確でない事に気づかない凛子の柔肌に、流聖は熱心にキスマークを付けていく。

（妙な男に手を出されない様に、これからは常にキスマークを付けておかねばな）

凛子の胸の尖りを口に含み、あんあん言わせながら、独占欲に満ちて底光りする瞳の流聖が笑った。

さて、師匠と仰ぐ流聖の手で、目眩く大人の階段を上らされている凛子は、例によってロマンチックな雰囲気から外れた言動をしていたが、流聖は不動の心で『嫁』のすべてを受け止めていた。

「流聖さん、お手柔らかにお願いします、初心者向けのやつで！」

「では、柔らかに揉んでやろう」

胸を揉む手がソフトにもにゅもにゅと動き、殊更いやらしさを増したので、凛子は「違うーっ、あん、あん！」と抗議するのと喘ぐので忙しい状態である。

「可愛い反応だ。感じやすい身体だな？」

耳元で低く囁かれた上に耳介を甘噛みされて、凛子は身体をくねらせた。

「やん、あん、そんなにしないでくださいっ」

「具体的に述べろ」

「に、二か所同時に責めるとか、初心者向けではありません」

頬を紅潮させた凛子は流聖に訴えた。

「わかった、一点に集中してやる」

流聖が胸を揉みながら乳首を口に含み、ころころと舌先で転がしたので、凛子は「いやあん！　違いますうっ！」とのけぞった。

「集中、駄目ぇっ！」

「注文の多い初心者だが、俺はえっちな女は嫌いではない。遠慮なくして欲しい事を言え」

流聖は、優しげに目を細めると、凛子の頬にちゅっとくちづけた。

（おかしいよ、わたしは『して欲しくない事』を伝えているのに、なんでこうなるの？　って、うわあああああ）

「集中は駄目なんだな」と言いながら、胸の膨らみをいやらしく揉みながら固くしこった先端を甘く噛んだ流聖は、凛子の脚の間にもう一方の手を伸ばした。そして、隠された秘密の花芯を暴いて凛子の零した蜜をまぶしつける。

「あっ、やっ、あああああーっ、そんな所を一緒になんて、駄目ーっ」

敏感な粒を指先でくるくると嬲られた凛子は、流聖の頭を抱えるようにして快感にのたうち回る。

「やあっ、そんなの、ああん！」

「ほら、この中もすっかり濡れてきたし」

器用な流聖は、長い指を凛子の秘所にゆっくりと差し込みながら笑った。

「同時にこっちのこの粒を弄ると……どうだ？」

「あああん！」

「こっちはもうぐちゅぐちゅいってるぞ」

「やっ、やめっ、ああん」

「そうか、そんなに身悶えるほど気持ちがいいのか。凛子は可愛いな」

（流聖師匠、サディストですか！）

のたうち回る姿を『可愛い』と評された凛子は、脳内で流聖に二本のツノと黒い羽を付けて『黒い悪魔・流聖』と名前をつけた。

（いやいや、違いますね。名前に『聖』の字があるので、堕天使という事で、『黒き堕天使・流聖』……うはっ、ハマりすぎです、師匠！）

「凛子、何を考えている？」

彼女が妄想の世界に意識を飛ばした事を敏感に感じ取った流聖は、左手で乳首をきゅっと抓り（つねり）ながら、右手の指を凛子の中に突き立てては卑猥（ひわい）な音を立てて出し入れするというお仕置きを始めた。

「ひゃん、やめ、やめて、流聖さん」

「ベッドの上で、他の男の事を考えているんじゃないだろうな？」

「えっ？」

『黒き堕天使』キャラは、流聖と同一人物だとカウントしていいのか違うのかと、一瞬考え込んだ凛子に、流聖は仄暗い笑いを浮かべた。

「今夜、お前は俺のものになると言ったのだからな」

「え？　そんな事を言いましたっけ？（とりあえず初体験、なんですけど）」

よせばいいのに、馬鹿正直に尋ねてしまう残念な凛子に、流聖は容赦しなかった。

「今さら何を……まあいい。強制的に俺以外の事を考えられなくしてやる」

「ひいっ！」

ブラック流聖の降臨に、凛子は「誤解です、流聖さん、流聖さん以外の人の事なんてこれっぽっちも考えていません！（だってあなたは今、『黒き堕天使』そのものですから！）」と抵抗を試みようとした。

「だから、わあ、いきなり脚を全開にしないでください！」

「大丈夫だ安心しろ、俺は処女にいきなり突っ込もうとする鬼畜ではない！」

「ありがとうござうわああああああ、何をしているんですか師匠！　そんな恥ずかしい場所をじっくりと見ないでって、見るだけじゃないんですね！　ああっ、やめっ、ひゃあん！」

凛子が騒ぐのを（いつもの事だ）と華麗にスルーした流聖は、彼女の秘密の場所に顔を埋めて。舌を伸ばしてチロチロと舐め始めた。

「やっ、あふっ」

「ここは嫌がっていないようだが」

黒くてエロい笑いで凛子のハートをズキュンと撃ち抜き、流聖は舌と指で凛子の濡れそぼった恥ずかしい場所を責め始めた。

「やあん、やめて、流聖さん、エロいです、こんなの駄目です、そこは舐めちゃ駄目です、恥ずかしいです」

「……男を煽(あお)るのが上手いな」

「煽ってません、わたしは今カエルの貼り付け標本になった気分で、流聖さんを煽る余裕なんて全くありませんから」

「カエルならおとなしくしていろ」

「カエルじゃないから騒ぎますよ、あっ、あああぁーっ！」

ぴちゃぴちゃとわざと音を立てて舐められて、真っ赤になった凛子は鳴き声を出した。

「だからそこは、やめて、あっ、変な感じになっちゃうーっ！」

「もっと変になれ」

「いやです、なりません、だから、そんなところをもう、ああっ、あっ、あああぁーっ！」

身体を電流のような快感に貫かれた凛子は、悲鳴をあげて身体をびくんびくんと震わせた。

「うううう、すごく変な感じですぅ……」

ベッドの上で荒い息をしながら、凛子は流聖に訴えた。

「やめてって言ったのに」

「そこはお約束だ。イくのは初めてなのか？」

「今のが噂の『イく』という体験なのですか……って、師匠⁉」

「なんだ？」

「なぜグレーのシルクのパジャマのボタンを外してその芸術的とも言える素晴らしく尊い

裸体をわたしの眼前にさらしているんですか？」

「『パジャマを脱ぐ』と一言で言え」

「そんなもったいない事はできません！」

凛子は、むふんと鼻を鳴らした。

「で、なぜに？」

「それはもちろん、お前と肌を合わせたいからだ……おい、なんで顔を覆って身悶えている？」

ベッドの上で「なんて尊いお言葉ーっ！」とバタ足をする凛子を、流聖は呆れたように見た。

（なんて素敵な言い回しをなさるのでしょう！　この夜が一生の思い出になるようにと心を砕いてくださる師匠に、わたしの心はすべて持っていかれています……）

「……好きです、大好きです、流聖さん！」

「俺も凛子が好きだ」

「うわあ、また途中から漏れてたーっ！」

無意識のうちに告白をしてしまった凛子は動揺した。そして、顔から手を離して流聖を見た。

彼は、全裸になっていた。

男らしく引き締まった筋肉が、胸筋が、腹筋が、流聖のすべてが凛子に衝撃を与えた。

「と、尊い……」

ベッドの上で仰向けになり涙ぐんでいる凛子を、流聖は微妙な顔で見て言った。

「凛子……俺の股間に向かって合掌するのはよせ」

「でもですよ、考えてみてください、師匠」

凛子は、流聖の股間から目を逸らしたが、両手のひらはまだぴったりと合わせたままで言った。

「現在わたしがご拝謁を賜っているそのご尊顔は、わたしの人生において唯一無二の存在なのですよ！　つまり、人生で初めての出逢いで、かつ、もう他の、男性の男性自身を見る機会などないわたしにとって、こちらのモノは大変尊いものであり、これは有難き経験なのです！」

全力で尊さを伝えようと、これでもかとへりくだって流聖（本体の方）に向かって言った凛子であったが、流聖は彼女の合わせた両手をつかみ、ぱっかんと開くと「間違えるな、重要な器官ではあるがそっちは『尊顔』ではない。俺の顔は股間ではなく『こっち』についているのだ」と、自分の顔を触らせた。

「わかったか？」

「はい……」

凛子が（なんて尊いお顔でしょう）と流聖の頰に触れていると、彼はその指先にキスをし、彼女を「ひょっ」と言わせてにやりと笑った。

「まあ、確かに、俺のモノ以外をお前が一生目にしないという、その潔い宣言は大変素晴らしいと思うし、凛子が貞淑な女性である事を嬉しく思う。しかしだな……」

「あっ」

流聖の手が、凛子の両脚を持って、大きく開いた。

「もしも俺がこうして、お前のここを拝んだら……どうだ？」

ご開帳された凛子のあの場所に向かって、全裸のイケメン男性が両手を合わせてから、じっとそこを見て言った。

「うむ、尊い。秘めやかな場所に潤んで光る、俺をこの世の真理の深淵へと誘う神秘に満ちた秘孔だ」

「うわあああーっ」

凛子は脚を閉じようとしたが、間に流聖の身体があるので閉じられない。流聖が拝みながらそこに顔を近づけてきたので、凛子は「いやあああ、師匠、やめて、やめてください！」と叫んだ。

「凛子、俺にとってもこの場所は尊いものだと思う。だが、こうして拝むというのは……」

「いやです！　よくわかりました、すみませんでした、めちゃくちゃ恥ずかしいし、いたたまれない事がよくわかりましたので、もう拝みません！」

「そうか、わかってくれたか」

「よくわかりました、身体を張ったご指導をありがとうございます！」

「うむ」

凛子の言葉に流聖は重々しく頷いてから言った。

「それでは、これからこのふたつの尊い場所の合体を行おうと思う」

「はい、ありがとうございます師匠！　いよいよ、尊き合体を試みるのですね」

「そうだ。『尊き愛の合体』だ」

「……尊き、愛の……」

凛子は言葉を失った。

（たった一夜の関係だというのに、流聖師匠はそこに『愛』という言葉を使ってくださっている……たとえそれが『師弟愛』だとしても、その広く深い師匠の愛にわたしの心は打たれています。ああ、尊さが止まりません、わたしは今、エンドレスエタニティディープラブに包まれています……流聖さん……好きです、愛しています）

感激のあまりに震える凛子であった。

（もしもこれが、本当に流聖さんとの愛の行為だったら……いいえ、凛子、そんな思い上がった事を考えては駄目！　わたしの様な、婚活を仕損なったしがないＯＬが、こんなにかっこよくて優しくて博識で何もかもが素晴らしい師匠に、一度でも抱いてもらえる事をありがたいと思わなくては！　そうだ、流聖さんが初めてをもらってくれるんだから……

わたしはそれでもう充分幸せなんだ……）

　凛子がごちゃごちゃと考えているうちに、拝まれてより元気になった流聖のそれに避妊具がかぶせられていた。

「ではいくぞ、凛子」

「はい、師匠！」

　凛子はぐっと拳を握った。

（これで、『一生処女』という事態は免れますね……良かった）

　流聖は凛子の頬を優しく撫でながら言った。

「そんなに緊張するな。深呼吸してリラックスしていろ」

「わかりました……んっ、いたっ」

　凛子は、押し当てられたそれが自分の中に潜り込んでくるのを感じた。

「え？　結構無理矢理なものなんですね」

「だから、力を抜けと言っている。力むから痛むんだ」

　凛子の尊い……ではなく、秘所は、流聖の愛撫で充分に潤っていたが、熱く太い切っ尖を押し込まれ、みちみちと押し広げられると、さすがに処女である凛子は痛みを感じた。

「抜いてます、抜いてますけど、こんなに大きなものが入って来たら、それは緊張しますよ、あっ、師匠のがわたしには大き過ぎて、痛いっ」

「煽るな」

狭く圧迫してくる熱い蜜壺に、猛った肉棒をゆっくりと押し入れながら、流聖は掠れた声で言った。

「なるべくゆっくりとはしているが、くっ、そう締め付けられると……」

より大きな快感を求めて、腰を突き入れたくなるのをこらえるのも大変なのだが、痛いだけの凛子は男の事情まで考えが回らない。

「でも、本当に大きいし太いんです！　もういっぱいいっぱいでギチギチいってます、師匠、本当にこれは全部中に入るんですか？」

「入る！　ちゃんと奥まで入ることになっている！」

「でも、いたっ、痛いです、裂けちゃいます！　いたたた」

「さっき念入りにほぐしておいたから、裂けない！　凛子が余計な力を入れなければ大丈夫だ」

　凛子の目の前に、三本の指が突きつけられた。その使い道がわかった凛子は少し恥ずかしかったが、今は痛みの事で頭がいっぱいだった。

「本当に入るんですよね？」

「ハマらないジグソーパズルのピースはないだろう」

「うっ、そうですね、ジグソーパズルのピースはすべてはまるし、流聖さんのちん」

「そこでやめておけ。これ以上、卑猥な言葉責めまでされたら、我慢できる自信がないからな！」

「はい、発言には充分注意します、けど、太過ぎます、いたあい、おっきいのが中にグリグリしてきて」

「だから、卑猥な、表現は、よせ！」

「あああーっ！」

流聖は我慢できずにひと突きしてしまった。凛子が「流聖さんのが、奥に当たってますぅ」と半泣きで訴えるので、彼は腰を動かしたくなるのを必死でこらえる。

「くっ、初めての凛子に、負担をかけるわけには……」

「わたしのお腹の中に、流聖さんのが入っていっぱいになってますぅ」

「だからお前はそういう事を！」

「あーっ！」

ずりゅっと男のモノを引き抜かれた凛子が、あられもない声をあげた。

「熱い棒が抜けました」

「抜かん！」

「あああっ、また中に！」

流聖は腰を打ち付ける様に、凛子の奥深くに滾(たぎ)る肉槍を突き入れた。

「あふうっ、流聖さんのでいっぱいですっ」

(くっ、俺の嫁は無防備にエロ過ぎるな！)

凛子に覆いかぶさり、唇を奪いながら、流聖はなるべくゆっくり腰を前後に動かし

て、凛子の中をえぐるように擦った。男を受け入れた穴からは蜜が溢れて、ぐぷっ、ぶちゅっ、と淫らな水音を立てて、淫猥な肉襞を滑らせる。

次第に腰の動きが早くなり、流聖のモノが凛子の身体を何度も貫く。

「あっ、あふっ、流聖さんの、熱いモノが、わたしの中で、暴れて、ああん、奥に、ぶつかるぅ！」

うわごとの様に凛子が呟く。

目を潤ませて真っ赤な顔をして、身体を貫かれる凛子の姿は流聖の劣情を煽り、いつもは冷静な彼をケダモノに変えていた。

初めてだというのに、激しく身体を蹂躙されて半泣きになる凛子は、憐れで、流聖の嗜虐心をそそる。彼はのけぞる凛子の首筋を吸い、肩に噛み付いて唸った。

「お前は俺のものだ」

身体を開かされ、貫かれ、揺さぶられて気が遠くなる凛子の中に、痛み以外の感覚が生まれていた。流聖は滑る蜜を指に絡めると、凛子のこりっと固くなった感じやすい粒を探し当ててつまむ様に刺激した。

「ひゃあん、そこは、ああん、駄目ーっ！」

凛子の中がひくひくと蠢き、リズミカルに激しく出し入れされる肉槍を締め付けた。

「くうっ、凛子！」

「流聖さあんっ！」

考えは逆方向のふたりであったが、達するのは仲良く一緒であった。

流聖が、ぼんやりと天井を見上げながら脱力する凛子に言った。

「痛みはないか？」

「はい、師匠のご尽力のおかげで、現在は痛みがありません。先程のものは一時的な痛みだった模様です」

何事に対しても（特に、凛子に関する事は）手を抜かない流聖が指を使って丹念に愛撫し、その場所をよく広げていた上に、充分に潤滑の蜜が溢れていたため、大騒ぎをした割にはそこを痛めていなかったのだ。

「完璧な初体験だったと思われます」

「よし」

事を成し遂げた戦士……いや、違うが、限りなくそれに近い雰囲気のふたりは、頷きあった。

流聖は自分の後処理を終えると、凛子の秘所を、出血もなく裂傷が生じていない事を念入りに（ちょっとあんあん言わせて）確かめてから、改めてベッドに横になった。

「流聖さん、ありがとうございました。先程の正常位は、わたしにとって良い想い出になりました」

「そうか……うん？　正常位？」

流聖は眉をひそめた。

(凜子はもしや『婚約したわたしたちの記念すべき初めての夜だというのに、流聖さんは正常位での一発しかしてくれないの?』と言っているのか?)

言っていない。

普通の処女はそんな事を考えないし、凜子だって渾身の一発に大変満足している。

さらに彼女は『記念すべき初めての夜』ではなく『一夜限りの関係』だと考えているのだ。

だが、すっかり勘違いしている流聖は重々しく言った。

「お前は、いろんな体位について詳しいのか?」

「あ、え、それは……」

薄暗い寝室で頬を染めて恥じらいながら、凜子は「いつか来るこの日のために、ネットを使って学んでおりました」と答えた。まあ、いわゆる『耳年増の喪女』というやつである。

「でも、初めての体験をさせていただいただけで、わたしは満足です」

「……正直に言え。他の体位にも興味があるんだな? (つまりお前は『もっともっと』と俺に恥ずかしいおねだりをしているんだな! くうっ、なんて可愛い嫁なんだ!)」

恥ずかしいおねだりなどしていない。

しかし、表面的にはクールなイケメンだが、内心では凜子が妻になると勘違いして燃え上がっている流聖の思い込みは、凛子の発言を曲解した。

「それはもうありますよ！　正常位さえも、見るとヤルとは大違いだという事がわかりましたからね！　他の体位はどんなものなのかと……でも、いいんです。師匠が基本のキの字を教えてくださったので、それで充分です」

流聖との関係は今夜限りだと思っている凛子は、そう言って流聖に笑顔を見せた。

「この一度の想い出を胸に、生きていけそうです」

（やはり、『一度』だけでは不満なんだな！　基本のキの字から応用のウの字、そしてやがてはプロフェッショナルのルの字まで……）

舞い上がった男は始末に負えない。

凛子の言葉を激しく捻じ曲げて受け止めた流聖は、がばっと凛子に覆いかぶさった。

「凛子、尊い場所には痛みはないいんだな」

「はい、ちょっと広げられちゃった感はありますけど、裂けてないし痛くないです……あっ」

流聖の指が、確認するように凛子の秘所を弄ったので、彼女は「流聖さん、そんなご無体な、ああんっ」と身体をよじった。

「感じているし、大丈夫そうだ……ふっ、夜はまだまだ長い」

「流聖さん、目が怖いです、『黒き堕天使』になってます！」

「せっかくだから、今夜は他の体位も教えてやろう。凛子が満足するまで手取り足取り、な」

「流聖さん、わたしさっきまで、処女でしたから！　でもって、『満足しました』って言いましたから！」

「そうだな……一晩で処女が熟れた果実になるのもまた一興。凛子が大輪の花を咲かせるところまで、俺がしっかりと見届けてやる」

「ひいいいいい、師匠の鑑！　だけど今は、あっ、流聖さん、そんなところを、いやあん！」

ご無体なあああーっ！　という凛子の叫びは、流聖の唇で消された。

「そら、ここはもっともっとと言っているぞ」「ふふ、いやらしい身体になってきたな」

「凛子、情欲に目覚めろ」などという堕天使の囁きで耳を侵されて、羞恥と快感に身悶えながら、凛子は淫靡な大人の世界により深く足を踏み入れたのであった。


そして、長い夜が明けた。

目覚めた凛子は、ベッドに流聖の姿がない事に気づき起き上がろうとしたが、うっ、と呻いて沈んだ。

「めっちゃ身体が重いー。立て、立つんだ凛子！　いや、立てねーよ……」

ひとりでボケツッコミをする凛子の脳内に、自分を貪る黒き堕天使の姿が蘇った。淫らで美しい男の淫猥な笑みを思い浮かべると、凛子の身体の中心がまた熱くなってきたので、両手をわちゃわちゃ振ってかき消した。

「危ない危ない、堕天使怖い！　んもう、あれほど初心者向けにって言ったのに。流聖師匠はスパルタ過ぎるよ、一晩で四十八手の半分くらいはやった気がするよ……」

凛子は『よし、次は帆掛け船だ！』『これは松葉崩し！』『後背位からの座位！』という幻聴が聞こえたような気がした。どうやら厳密には、四十八手を極めたというよりも、ポピュラーな体位をあらん限り試されたらしい。

「で、鬼畜な堕天使はどうしたのかな……ひゃあっ」

ベッドから降りた凛子は、その場で崩れ落ちた。

「ヤバい、マジで立てませんよ！　生まれて初めて腰を抜かしたよ。いろんな初体験だなあ……」

ベッドに手をついてそろそろと立ち上がっていると、凛子の声を聞きつけて流聖がやってきた。

「おい、大丈夫か？　昨夜はかなりがんばったからな、素晴らしかったぞ凛子！」

えっちなあれこれを『素晴らしかった』と言われた凛子は「あはは……ありがとうございます」と半分困りながら笑った。

「風呂に入って温まるといい。あそこまで身体を動かしたんだ、おそらく、後で筋肉痛になるぞ」

「そうですね。でも、ちょっと立てないみたいでうわあっ！」

「心配するな」

流聖が、いい笑顔で言った。

「最後まで面倒を見るのが男の務めだからな、俺が風呂に入れてやる」

「ひえええぇっ！」

昔話のおばあさんが腰を抜かしたような声を出した凛子を、流聖はひょいと抱き抱えて風呂場に連れて行ったのであった。


浴室での流聖は、紳士であった。

彼は凛子を風呂椅子に座らせると、自らも衣服を脱ぎ捨てた。そして「ひえええ、眼福ですぅーっ」と両手で顔を覆う振りをして、隙間から流聖の彫刻のような素晴らしい裸体をちゃっかり観察していた凛子にシャワーをかけると、全身も髪も丁寧に洗ってから彼女を湯船に浸けた。

「……狭いな」

自分も湯船に入った流聖が言った。

「でもまあ、ふたりで入れない事はない」

凛子を背中から抱くようにすると、ふたりはうまく浴槽に収まった。

「あ、なんか当たってますね」

「そうだな」

「あん、変なとこ触らないでください」

「すまん」

などという会話があったものの、流聖は凛子に不埒(ふらち)な悪戯をすることもなく風呂を済ませた。そして、別の『彼シャツ』を着せられた凛子は（今度はワイシャツだったあたりに、流聖の趣味と願望が見受けられる）朝食を前にしてちょこんと座っていた。

「流聖さん、すごくちゃんとした朝ごはんですね！」

「そうか」

そこには、コンビニから調達した食材で流聖が作った、パン、オムレツ、サラダ、スープとおまけにキウイフルーツの入ったヨーグルトが並んでいた。

「はい、素晴らしいです。お部屋も片付いているし、流聖さんは、見た目が良いだけではなく中身もちゃんとしている事が、今回のお宅訪問でわかりました」

「そうか」

「やはり、わたしは師匠を尊敬します」

「よし、お代わりを食べるがいい！」

「ありがとうございます、遠慮なくいただきます」

気を良くした流聖が焼いてきたベーグルをもきもきと食べながら、凛子は（流聖さんのお嫁さんになる人は幸せだなあ）と考えていた。

ちなみに、流聖はというと、小動物のように美味しそうにごはんを食べる凛子を見て

（うちの嫁は食べる姿も可愛い。毎日美味しいものを食べさせてやろう）などと考えていた。


「どうだ、食べたら元気が出たか？」

「はい、おかげさまでパワー全開です！」

「じゃあ、早速だが指輪を買いに行くぞ」

「……指輪、ですか？」

話が見えない凜子は、こてんと首を傾げた。

「そうだ。やはり、こういう記念のような事はしっかりと押さえておきたいからな」

「記念……あ、なるほど、そういう事ですか」

（師匠は、処女喪失記念の事を言っているに違いない！　そうなのか、そんなものがあったんだ、さすがはイケメン師匠、男女交際についてなんでも知ってるんですね。後でネットで確認しなくては）

いや、そんな記念はない。

「ちなみに、欲しい指輪のデザインなど、好みをお前に聞こうと思ったが、やはりやめておく」

「何でですか？」

「スマホに送ってもらった、凜子の選んだ服や靴や鞄の写真を見てしまったからな……あの、センスが、壊滅的に個性的な……」

「くっ、否定はしません！」

充分自覚している凛子は、唇を噛んだ。流聖の指導で、高校の時のジャージを代表とする凛子のワードローブはほぼ総交換となったのだ。

というわけで、ハンドドリップの美味しいコーヒーをゆっくりと飲んでから、マメな流聖が洗濯して乾燥までしてくれた下着としわを取っておいてくれた服を着た凛子は、彼と出かけることになった。


「で、何でここに来たんですか？」

タクシーで薫のヘアサロンに連れてこられた凛子は、流聖に尋ねた。

「今日は記念すべき日だからな、昨日と同じ服を着て欲しくない」

凛子が着ている服は、昨日のハイスペック婚活パーティーで着ていたものなのだ。流聖としては、結婚相手を探しに来た他の男の目に触れた服を彼女に着せておきたくなかった。

「というわけで、薫の所に新しい服が届いているはずだ。さあ、入れ」

「いらっしゃーい」

流聖がドアを開けると、にこにこ顔の薫がふたりを迎えてくれた。

「おめでとう、流聖、凛子ちゃん！　良かったわねえ。さあ、髪をセットしてメイクしちゃいましょうね。とびきり素敵にしてあげるわ」

相変わらずオネエ言葉で話すイケメン美容師の言葉を聞いて、凛子はその場で固まった。

「え、お、おめでとうって……」

凛子は顔を真っ赤にした。

（嘘でしょう⁉　流聖師匠！　わたしが処女を喪失した事を薫さんに言っちゃったんですかーっ⁉）

そんなわけはない。

流聖は薫に『凛子と結婚を前提として付き合う事にした。今日は婚約指輪を買いに行くから、仕度を頼む』という連絡を入れていたのだ。

「おめでとうございまーす」

ヘアサロンのスタッフ達にまで祝福されて、凛子は動揺し、目眩がして倒れそうになった。流聖が「おっと」と身体を支えて、その姿が仲良しカップルに見えたので皆微笑ましく思う。

（まさか、全世界の人が、わたしの処女喪失を知っているの⁉）

知らない。

しかし、すっかり勘違いしている凛子は、軽くパニックになった。

「師匠、すみません、わたしやっぱり帰ります」

震える手で、そっと流聖の身体を押しやった。

「どうしたんだ？　気分でも悪いのか？」

「いいえ、その……記念の指輪とかも要りません。なんていうか、わたしは日陰の女なので」

「え？」

流聖は、突然奇妙な事を言い出した凜子の腕を掴んだ。

「日陰の女だと？　どういう意味だ？」

「そうよ、ちょっとそれ、どういう意味よ」

これは聞き捨てならないと、薫も会話に加わった。

「凜子ちゃんは、流聖のプロポーズを受けたんでしょ？」

「……はい？」

アホ面になった凜子の肩をつかんで軽く揺すりながら、薫は言った。

「だ、か、ら、流聖と婚約したんでしょ？　これから婚約指輪を買いに行くから、おめかししに来たんでしょ？　違うの？」

「違わない。俺たちはこれから婚約指輪を買いに行く」

流聖がきっぱりと言い切った。しかし、凜子は訳がわからず彼に尋ねた。

「……婚約？　誰と誰がですか？」

「俺と凜子だ」

「…………………ええええええーっ!?」

十秒固まったのち、凛子が叫んだ。

「わたしたちが婚約を？　いつ？　いつですか⁉」

凛子の言葉を聞いて、今度は流聖が驚愕した。

「何を言っているんだ、昨日の夜だ！　お前が俺に、逆プロポーズをしたじゃないか！

お前は婚活に決着をつけると言っただろうが！」

「言いました！」

「で、俺のものになると言っただろう！」

「それも言いました！」

「結婚相手は俺がいいって言っただろう！」

「それは違います、初めての相手は流聖さんがいいって言ったんです！」

「なん……だと？」

「もう婚活はやめて、一生独身で過ごすから、一夜の想い出を、流聖さん……に……って
……」

流聖の顔が真っ赤になり、それから血の気が引いて真っ青になるのを見て、凛子は言葉を切った。

「……あの、師匠？　顔色が……アニメキャラみたいに……凄い事に……」

「り、凛子……お前は……」

流聖は、唇をわななと震わせた。

「お前は、俺を弄んだのか⁉」

「アホかーっ！」

叫んだ流聖の後頭部を、薫が思いきり引っ叩いた。

第八章　プロポーズは大事です

流聖の『俺を弄んだのか』発言に呆れ果てた薫は、同じく呆れているスタッフたちとお客たちの前で流聖に言った。

「このバカ流聖が！　あんたって要領が良いくせに、ここぞっていう大切な所で抜けてるし、信じられないようなアホをやらかすし、〝見た目はイケメン中身は乙女〟な所があるし、まったく、全体的に残念なんだから！」

「な……薫、傷心の俺にそこまで言わなくても……」

「アホ！」

悲しい子犬の目になった流聖の頭を、薫は容赦なく、すこんと叩いた。そして、流聖の胸倉をつかんで自分に引き寄せると、今度はオネエの顔をかなぐり捨て、ドスの効いた低い声で流聖の耳に囁いた。

「てめえ、なに女の子に恥をかかせてんだよ。だいたいな、逆プロポーズってなんだ？　全部てめえの思いこみだろうが？　ふざけんな、てめえの責任を凛子ちゃんに押しつけるんじゃねえ」

凄味のある薫の別の顔はかなり怖かったし、荒げるわけでもないその声がまた、流聖の恐怖を倍増させた。

「お、おう」

「てめえが凛子ちゃんに惚れてんのはバレバレなんだよ。この子が欲しけりゃプライドも何もかなぐり捨てて、キッチリとプロポーズしやがれ。それが男ってもんだろうが」

「そ、そうだったのか⁉　俺は、凛子の事を……ずっと好きだったのか……」

本気で驚く流聖に、薫は『うわあ……』と顔をしかめた。

「やっぱり自覚がなかったのかこのスポンジ頭野郎めが。お前の尋常じゃない入れ込み方を見た者は皆気づいてるぞ？　いいか。プロポーズも婚約も結婚も、女の子にとっちゃ人生を賭けた一大事だ。男なら、キメるところを間違えんなよ」

「……わかった。俺はやる」

「よし」

薫は流聖を解放すると一瞬でいつもの顔に戻り、スタッフに向かって「あなた、その花を取って頂戴」とにこやかに言った。女性スタッフは「はい！」と頷くと、花瓶の生花を抜いてタオルでよく拭き、洗髪時に顔に乗せるミニタオルで根元を包むと薫に渡した。

「店長、どうぞ！」

「ありがとう。ほら流聖、これを使え」

薫は即席の花束を流聖に渡した。彼は真面目な顔で頷き、それを受け取ると、（あれれ……今何が起きてるんだろう？　ここはどこ、わたしは……誰？）と、あまりの展開に意識が飛んで、ぼんやりした様子で成り行きを見守っていた凜子に向かい合った。

「佐藤凜子」

「はい、わたしが佐藤凜子です」

直立不動になって返事をする凜子に、流聖は花束を差し出した。

「お前に結婚を申し込む。佐藤凜子、俺と結婚してくれ」

「……え？」

凜子は、真剣な表情で花束を押し付けてくる流聖と、両手をグーにして『流聖、がんばって！』とオネエモードで応援している薫の顔を見比べた。

「あの、師匠、ええと」

「俺はお前を幸せにすると誓う。お前が一緒にいてくれれば俺は自動的に幸せなので、そこは問題ない」

「……ほほう、問題なさそうですが……」

「俺は毎年の健康診断で優良の判定をもらっている。仕事も真面目にしてそれなりの評価をもらっているし、給料も充分あるから生活レベルは保証できる」

「そうよ凜子ちゃん、大変お買い得よ！」

オネエが合いの手を入れる。

「家事も手際よくできるし、苦ではない。凜子が結婚後も仕事を続けたいなら、家事の折

半も喜んで行うぞ」

「あ、流聖さんはマメですもんね」

「ちなみに、お前はゴミ出し、俺は掃除に炊事に洗濯が担当だ。買い物は車を出すからふたりで行って、そのままショッピングデートをして外食を楽しむなどという楽しい応用も効くぞ」

「楽しそうですが、それは折半と言って良いバランスには思えませんね！」

「では、ゴミは俺が分別して袋に入れ、玄関に置いてやろう」

「さらにわたしの負担が減ってますよ！」

「そして、リビングにはサボテンコーナーを作ろう。日当たりの良い場所で、好きなだけサボテンを育てるが良い」

「マイサボテンコーナーもつくんですか！」

「子どもが生まれたら、安全な場所にサボテン専用棚のある広いマンションに引っ越そう。一戸建てが欲しければ建ててもいい。サボテンガーデン付きの家だぞ」

「憧れのサボテンガーデン！　それは素敵なマイホームですね！」

「どうだ？　俺と結婚すると、このような楽しい未来が待っている。さあ、結婚するという返事をくれ」

「うーん……」

「何が不満だ？」

「いえ、昨夜に一生独身でいる決心をしたので、気持ちが追いつかないんです」

「追いつけ！　走れ！」

「……流聖さんが、わたしの夫になるんですね」

「そうだ。夫でも騎士でも王子でも、俺は何でもやるぞ」

「じゃあ、サボりんのコスプレなんかもしてくれるとか？」

「サ……サボりんの……コスプレ、だと？」

　流聖の勢いが落ち花束を持つ手が少し下がったので、薫が凛子に「ねえ、サボりんって何？」と聞いた。彼女はスマホの待ち受けを「これです。サボテンの妖精なんです」と言って薫に見せた。

「こっ、これは、マッチョでサングラスをしたメキシコサボテン……このコスプレを流聖に求めるとは、凛子ちゃん、なんて恐ろしい子……」

「店長、しっかりしてください！」

　よろめいた薫を、スタッフが支えた。

「やるわね。こんなにも高いハードルを流聖につきつけるなんて」

　薫は「さあ、どうなの？」と流聖の顔を見た。

　流聖は口元を引き締めると花束を元の位置に持ち上げて「そこは要相談だ！　ふたりきりの時なら、演れる！」と言い切った。

「だから、凛子、俺と結婚してくれ！」

「流聖さん……そこまでわたしの事を……」

凛子は涙ぐみながら花束を受け取ると「ありがとうございます、流聖さん。喜んでプロポーズをお受けします」と返事をした。

「やれやれ、これでやっとスタートラインに立てたわね」

薫は凛子の手から花束を取り上げると、スタッフに「生け直して頂戴」と手渡しながらため息をついた。

「こじれる前にわたしの所に来てくれて、本当に良かったわ。まったくあんたってば、昔っから、しっかりしているように見えて手間がかかる奴よね」

流聖は心外そうな顔をして言った。

「そうか？　手間をかけた覚えはないが」

「そうよ。ちゃんと思い出しなさいよ。高校の時からいつもわたしと明日名が何かとお世話をしてたじゃないの」

「……お、そう言えば……すまん」

どうやら流聖にも心当たりがあるらしい。小さくなって謝っている。

「凛子ちゃんには面倒をかけるんじゃないわよ。っていうか、この子はあんた以上に手間がかかりそうだから……これからは流聖がしっかりしないと駄目だからね？　わかってる？」

もはや、弟を叱る姉である。

「じゃあ、早速おしゃれしましょうね。凛子ちゃん、こっちにいらっしゃい」

「……えっと、はい」

「もしもーし、わかってる？　凛子ちゃんは、これから流聖と一緒に婚約指輪を買いに行くの。ついでに婚約を記念して、どこか素敵なレストランでディナーを食べたりするの。でしょ？」

「その予定だ」

薫の言葉に流聖が頷いた。

「あ……そうだったんですか」

「そうだったんですよー。流聖、この子はこういう事に慣れてないってわかってるんでしょ？　きちんと教えてあげなさいよ。不安になったらかわいそうじゃないの」

「はい」

丁寧語で返事をするイケメン『婚活コーディネーター』である。

「だから、これからドレスアップするわよ。向こうに流聖が手配したワンピースが届いているから、ヘアセットとメイクをしたら着替えましょうね」

「ええっ、いつの間に⁉」

「ネットって便利よね。それに、なにしろ、スケベ流聖が凛子ちゃんのサイズをぜーんぶ知ってるからね」

「スケベ言うな」

小さく抗議するイケメン『婚活コーディネーター』である。

「明日は会社があるんでしょ？　早めに帰してもらいなさいね」

「あ、明日は有休を取ってあるんです。早く消化しろって言われちゃって……どうしたんですか、薫さん？」

薫が額に手を当てて「あちゃー」と顔をしかめたのを見て、凛子が尋ねた。

「頭でも痛くなりましたか？」

「それに近い！　凛子ちゃん、あんたは無防備過ぎ！　そういう事を、流聖の耳に入れたら駄目じゃないの！」

「ええっ？」

凛子が訳がわからずにいると、薫は流聖の方に親指をくいっと向けて言った。彼は、スマホを取り出して素早く操作している。

「流聖さん、お仕事でしょうか？」

「男のお仕事、かしらねー」

そして、流聖は顔を上げると、凛子に向かっていい笑顔で言った。

「よし、レストランが入っているホテルの、デラックスルームを押さえたぞ！　俺たちは運が良いな。凛子、記念すべきこの夜を共に過ごそう」

「デラックスルーム、ですと⁉」

自分の失言に気づいた凜子が叫び、薫は再び「スケベ流聖！」とうきうきするイケメンに言った。

薫に髪をハーフアップにしてもらい、いつもの婚活用とは違った華やかなメイクをしてもらった凜子は、ラベンダーカラーのワンピースに着替えた。フレアースカートで、肩と袖がレースでシースルーになっているので、余計な飾りはないがフェミニンで上品な雰囲気だ。

「いいな。よく似合っているぞ」

クールに振る舞ってはいるが、長年の友人である薫はその心中をお見通しらしく、流聖をじとっと見た。

「流聖、涎(よだれ)を垂らさないで」

「そんなものを垂らしてない、お前は、人をなんだと思ってるんだ」

「プロポーズが成功して浮かれてる男。盛って凜子ちゃんに無理させるんじゃないわよ」

「……くっ」

自覚があるのか、流聖は薫に言い返せない。そして、薫は凜子に対してはがらっと態度を変えて優しく言った。

「凜子ちゃん、今日は楽しんでいらっしゃいね」

「はい。薫さん、ありがとうございます」

「どういたしまして。流聖に関して何か困った事があったら、気軽にわたしか明日名に相談しなさいね。なんとかしてあげるわ」

「心強いです」

「あと、流聖も、なんかあったらこじれる前にわたしか明日名に言いなさいよ！」

「……なんで俺には言い方がキツいんだよ」

「可愛い女の子とヤローとでは扱いが違って当たり前でしょうが」

薫はふんっと鼻を鳴らした。


ふたりはヘアサロンを出るとタクシーに乗って、流聖が選んであったジュエリーショップに向かった。

そう、本来ならば女性の好みで選ぶ婚約指輪なのだが、自分の趣味が『奇天烈』であることがわかっている凛子はすべてを流聖に丸投げすることにしたのだ。

これは大変賢明な判断だと言えよう。

「いらっしゃいませ」

凛子をエスコートする流聖の姿を見て、ショップの女性店員は（芸能人かしら？　美形すぎるお客様だわ）と一瞬動きを止めたものの、すぐににこやかに挨拶をした。

「何かお探しですか？」

「婚約指輪と結婚指輪と、とりあえず結婚するまでつけるペアリングが欲しい」

「あ……ありがとうございます……」

店員は、流聖の景気の良い注文にまたしても動きが止まってしまった。そして、やっぱり固まっていた凛子が、流聖のスーツの袖をつんつんと引っ張った。

「流聖さん、今の呪文はなんですか？　指輪ってひとつじゃないんですか？」

「だから……まず」

流聖は、凛子の右手を取って、薬指を摘んだ。

「ここに、今すぐペアリングをつける！」

「はい！」

師匠と弟子モードに入った凛子が、大きな声で返事をする。

「なぜならば、婚約指輪は普段使いしにくいからだ！　ダイヤがごろっと付いた指輪をはめて、出勤できるか？」

「できません！　ダイヤが気になって、仕事に支障をきたします！」

「ゆえに、結婚して結婚指輪を装着するまでは、我々はペアリングを装着する！」

「了解です！」

「また、婚約指輪は、結婚指輪と重ねづけできるタイプを選択すべし！」

「それはなぜでありますか⁉」

「共に左手の薬指に装着する指輪だからだ！　結婚してからは肌身離さず結婚指輪を身につけ、改まった席にはそこにさらに婚約指輪を装着する事！」

「了解です！」

「という事で、ペアリングから探していきたい！」

「了解です！」

最後の返事はショップの店員である。

彼女は（ああ、うっかり勢いが移ってしまったわ！）と思いつつ、ふたりの希望を聞きながら、ペアリングをお勧めするのであった。


「さあ、凛子はどっちが良いと思う？」

基本的には流聖のセンスなのだが、少しは凛子の意見も取り入れたいので彼はペアリングの候補を二点に絞って凛子に見せた。

「うーん、そうですねー、うーん」

凛子は唸っていた。

「こっちはプラチナ、こっちはプラチナに色石が入っている。両方ともシンプルで、仕事の邪魔にならないデザインだ。色石なら凛子はルビーかな」

「うーん、なるほど。四角い宝石が埋め込まれていますね。こっちの方が……わたしがルビーで、流聖さんがエメラルドかサファイヤ……うーん」

「そうだな」

「で、では、エメラルドで！　流聖さんに似合いますから。爽やかな新緑の色です」

流聖が目を細めて言った。

「……お前の脳裏に今浮かんでいるのは、新緑ではなくてサボりんだろう」

「はっ、な、なぜそれを⁉　エスパーか？　わたしはエスパーと結婚するのか？」

「そうだ。俺には、お前の頭の中が手に取るようにわかるのだ」

「なんと！」

凛子は素直に驚いていたが、ショップの店員は（違うでしょ、エスパーじゃなくて愛の力でしょ。あー、この仕事でリア充ばかり見ているけど、今日のお客様は特に強烈だわ……）と、密かにやさぐれるのであった。

第九章　同期の恋

そして、日曜日を使って、ふたりは記念の指輪を大量購入した。

と言っても、実際に選んだのはほぼ流聖で、しかも婚約指輪と結婚指輪は彼のイメージしたデザインで特別注文した。何をさせてもそつがない、妙に女子力の高い流聖のセンスを疑わない凜子は、ずっと頷いているだけであったため、流聖に「お前、わかってるのか？」と疑わしげに見られた。

「大丈夫です、わたしは流聖さんの事を信じています。どこまでも付いていきます」

「またそういう可愛い事を言って……」

流聖は凜子の腰を引き寄せて、赤くなった頬を優しく撫でた。

プロポーズの当日に結婚指輪も買ってしまうというのはいささか前のめりだと言える。ふたりはまだ家族に報告もしていないのだ。しかし、流聖としては凜子を絶対に逃したくなかったので、指輪どころか首輪も付けたいような気持ちだった。

「すまんな。ついこだわってしまって」

休憩に入ったカフェで、あまり表情の変わらない流聖が少し照れながら、ダージリンを味わう凛子に言った。

彼らの指には、すでにお揃いの指輪がついている。幸いサイズの合うものがあったので、買ったその場でお互いにつけ合ってきたのだ。（もちろん、中身が乙女な流聖の希望である）

ちなみに、流聖ほど整った容姿の男性がカフェに入ると、店員は目立つ席に案内する。彼の様な人物が来店するだけで、カフェのレベルが上がるからだ。

そんな流聖とデートをすると、当然ながら一緒にいる女性も注目される。時には嫉妬、格付け、嘲（あざ）けりといったネガティブな視線にさらされる事もあり、かなりのストレスを受ける。彼が歴代の彼女たちとうまくいかなくなった原因は、ほとんどがこれである。

ところが『珍獣凛子』は違った。

元々が自分の見た目に頓着しないマイペースな性格だった上、『流聖』『明日名』『薫』という三大イケメンにより、美形に慣らされている。そして、流聖の婚活特訓を受けた今では、どんな相手と目があっても柔らかな笑顔を条件反射で返せるし、別の意味でひそひそされる事に慣れているので、振る舞いも堂々としている。

他の女性とは格が違うのだ。

図太い、とも言う。

さらに、彼女のこの堂々とした態度と薫による外見改革で、今の凛子は『超イケメンな流聖の隣にいても納得できる魅力的な女性』だと周りの目に認識されているのだ。

というわけで、凛子は「いやあ、労働の後のパンケーキは最高ですね！　このふわっふわのしゅわー、がたまりませんよ、むふふ」などと、フルーツとクリームがたっぷり乗った、カフェで人気のデザートを食べてご機嫌なのである。

……『魅力的な女性』はどこ行った？

時折流聖に「お前、いくらなんでもでかい口を開けすぎだ、少しは恥じらえ……なんだそりゃ、鼻の頭にクリームをつけるとか、小学生か！」と突っ込まれる姿は、もはやデート中の女子ではない。

「美味いっす！」

「美味いっすじゃなくて、クリームを拭け！　……ああもう、顔を出せ」

流聖が、お父さんのように凛子の鼻の頭のクリームを拭う。

「よし」

「かたじけない」

このように、色気のかけらもなくお世話される姿にはデート中の気取りがまったくないため、凛子を見る女性たちは嫉妬心もわかないのであった。

嫉妬はされないが……。

「『かたじけない』っていう言葉を普段使いする奴に初めて会ったぞ。凛子、貴様は侍か」

「ううむ、甘い！　すまぬが拙者、茶をもう一杯所望する」

「おい、ダージリンのホットをもて！」

あった。

そしてその場に居合わせた女性客は、自分にも移ったらどうしようと密かに怯えるので

流聖やカフェの店員にも、残念感が伝染していた！

珍獣恐るべし！

「ははっ！」

凛子がパンケーキを無事に食べ終わり、流聖もおしゃれなガレットをおしゃれに食べ終わってから、ようやくカップルらしい会話が始まった。

「一生に一度の物だと思うと、デザインに妥協ができなかったんだ」

「そうですか。流聖さんは、ウェブデザイナーだから、やはりセンスやこだわりが他の人とは違いますよね。いろいろな勉強をしていそうだし、もしかして宝飾とかアクセサリーの勉強もしたんですか？」

凛子は流聖の指導通りに上品に紅茶のカップを持って言ったが、侍化を目の当たりにしたまわりの評価は『いまさら？』である。

「宝飾に関しては、専門の本を数冊、読んだくらいだな」

「それでも専門書を読んだんですね」

「ああ。勉強になるから、ジャンルを問わずに様々なアーティスティックなものに触れておきたいんだ」

「その姿勢が素晴らしいです」

キラキラした瞳の凛子に尊敬され、流聖は良い気分になった。

「それじゃあ、もしかして、結婚式のドレスなんかも……」

「ふっ」

イケメンは顎に手を当てて「当然だ」とクールに宣言した。

「凛子に何か希望があれば、もちろん聞くつもりだが？」

凛子は、顎に手を当てて「披露宴にはサボりんを呼んでもらえますか？」とクールに尋ねたが、即却下された。

当然である。


ふたりのいるカフェは、凛子の勤める乙川商事からそれ程離れていない場所にあった。そのエリアは人気の店が多く、日曜日にはデートスポットになって賑わっている。

そんなカフェの片隅で、実は非常にシビアな話し合いがされていた事に、幸せいっぱいの凛子は気づかなかった。

「ねえ、わたしが好きなのはやっぱり創太だという事に気づいたの。だから、お願い、元通りになりましょう」

「なれる訳がないだろうが。お前、頭ん中が沸いてるのか？」

苦虫を嚙み潰したような表情の男性は、凛子の同期の畑中創太であった。彼の前に座る

のは、可愛らしい見かけの若い女性だ。創太に酷い事を言われても、目をうるうるさせて
「そんな事を言わないで。ね？　やり直しましょう？」とお願いのポーズになっている。

「千春、俺たちは終わったんだ。……お前はもう俺が好きだった千春じゃない」

「そんな！」

　段々とふたりの声が大きくなり、店内の客たちの意識がこのカップルに向いていく。

　そして、凛子は気づいた。

「流聖さん、あれ、あの男性はわたしの同期社員ですよ！　わあ、遠距離恋愛の彼女がいるって言ってたけど……」

「どう見ても、修羅場だな」

　流聖は眉をしかめた。その手はなぜか、凛子の指を握っている。どうやら自分以外の男性に凛子の意識が向く事が許せないようだ。

「でも、おかしいな。畑中くんって、あんなキャラじゃないと思うんですよね。優しくて、人当たりがいい人なのに、彼女には結構キツいんだなあ……変な感じ」

「あれが本性なのかもしれないぞ」

　彼は「凛子には優しいのか？　聞き捨てならんな……もしや、気があるのでは？」と黒いオーラを漂わせた。

「そういえば、彼女の話を飲み会で聞いた時、遠距離だと心が離れてしまうから不安だって言ってました」

「不安……男の方が？」

その時、畑中創太がきっぱりと言った。

「とにかく、俺たちはもう終わりだから、今後一切関わらないで欲しい！」

「酷いわ！　わたしを見捨てるの？　結婚しようって言ったじゃない！」

「昔の話だ！」

店内に「え？　彼氏ちょっと酷くない？」とざわめきが広がる。

「一緒にこの子を育てましょうよ。きっと暖かい家庭を作れるわ。ね？　この子のパパになって？」

凛子は「ええーっ、彼女さん、妊娠してるの？　それを、畑中くん、どうして……」と驚いた。

しかし、畑中への疑いは、彼の言葉でぶっ飛んだ。

「だけどそれは俺の子じゃないだろう！　俺たちは三ヵ月も顔を合わせてなかったもんな！　なんで俺が、浮気した男の赤ん坊を育てるなんて思ったんだよ！　お前、マジで頭がおかしくなったんじゃないか？」

『えええええーっ⁉』

店内に声無き叫びが響いた気がした。

「しかも、既婚者との不倫だって？　お前の親から謝罪の電話があったんだぞ！」

「違うの！　血は繋がってないけど、この子は創太の赤ちゃんなの！」

「……駄目だ、こりゃ」

創太は肩をがっくりと落とした。

そして、凛子も流聖も、その他の客も、一斉に（駄目だこりゃ）と思ったのであった。

『不倫相手との子どもを妊娠中だから、自分と結婚して育てろ』という、もうどこをどう突っ込んだらいいのかわからない無茶振りをする『元』彼女に、人の良い畑中創太もさすがに気持ちが氷点下になったようだ。

彼は伝票をつかむと「もうお前と話し合う事はない。これで絶縁だ」と立ち上がって、レジに向かおうとした。

「待って、創太！」

「しつこい……あ」

「……えっと、お取り込み中ですが、こんにちはー」

凛子の席の脇の通路を通ろうとした創太は「マジかよー」と頭を抱えた。

「このタイミングで、なんでここに」

「あ、わたしの事は気にせずに、どうぞお会計を済ませてください。もちろん、今日の事は他言しませんので」

「あーもう、頼むわ」

目の下にクマができている創太が言った。そこへ、彼女が、いや『元』彼女の千春が追いかけてきた。

「待ってって言ってるでしょ、だいたいわたしの事を寂しくさせた創太が悪いのよ、責任を取ってよ」

「やりたい事があるし、友達と別れたくないからこっちには来られないって、遠距離恋愛を選んだのはお前だろうが。何が寂しくさせた、だ」

「わたしの近くにいない創太が悪いのよ……あ……」

千春は、流聖の顔を見ながら「この人は誰？」と言った。端正な顔から目を離さず、一瞬で創太から気持ちが逸れたのが傍（はた）から見てもよくわかるが、凛子に気を取られていた創太だけは気づかない。

「彼女は単なる会社の同期だから。妙な所で会っちゃったなあ……」

「違うわよ、わたしが言ってるのはこっちの素敵な人！　この人に早くわたしを紹介して！」

「は？」

千春は、顎でくいっと流聖を示して「ほら、この男の人よ。紹介して」と言った。そこで、千春が見ているのが『佐藤といるやたらカッコいい男』の事だと創太も気づいた。

それにしても、自分が結婚を迫っている男性に向かって、別の男性を『素敵な人だから紹介しろ』と言う千春は図々しいにも程がある。畑中創太は（千春の頭は本当におかしくなっちゃったんだな）と悲しい気持ちになった。

「あれ、もしかしてそっちもデート中だったのか？　さと……」

「君、名前は言わないでもらおうか」

『佐藤』と言いかけた畑中の言葉を、流聖が遮った。

彼は鋭い視線で創太を威圧しながら言った。

「妙な知り合いにむやみに個人情報を漏らすな」

「あ……すみません。わたしの思慮不足でした」

畑中創太は、素直に頭を下げて詫びた。流聖の言う通りだ。千春の様な女性に、下手に知り合いの名前を教えるべきではないのだ。案の定、千春はとんでもない事を言い出した。

「いい事を思いついたわ。創太はこの人と付き合えばいいのよ。そして、わたしが彼と結婚すればいいいん……」

「断る！」

千春が言い終わる前に、流聖はぴしゃりとはねつけた。

「俺の嫁になるのはこの世でこの女性だけだ」

躊躇（ためら）いなく千春を斬り捨てる流聖の言葉に、カフェに居合わせた者は内心で拍手を送る。

だが、流聖の外見に魅せられている千春はひかなかった。

「どうしてですか？　わたしの方があなたに釣り合うと思いませんか？　だって、若いし、見た目だってこの人よりもわたしの方がずっと上だと思うんですけど」

しかし、流聖は容赦なく言った。

「君の方が全然下だな。君は、外見も内面も下の下だ。浮気して不倫して妊娠しただと？

その子を裏切った相手に育てろと要求するだと？　とんでもない自分本位な人間だな、魂の曇りが顔に現れているぞ。曇るどころか、かなり腐っているんじゃないか？」

「うわー、日向に放置された豆腐ですね」

「茹(ゆ)でて藁(わら)に包んだ大豆なら、納豆になれたかもしれんがな」

「豆腐じゃヤバいシロモノにしかなりませんからね、悪臭を放ってもはや凶悪な劇物毒物ですからね」

「まったくだ、害悪でしかないな」

「失礼ね、誰が腐った豆腐よ！」

その瞬間、流聖と凛子と創太と、店内の全員の人差し指が『お前だろう』と千春に向けられた。

「……なにさ、どいつもこいつもわたしを悪者にして！」

千春は隣のテーブルに置いてあったグラスをつかむと、凛子に向かって投げつけようとしたが、創太はとっさにその腕をつかんだ。

「きゃあっ」

結果的に千春が水をかぶる。

「何やってんだ！　どこまで迷惑をかけるんだよ、本当に頭が腐った豆腐になったんだな」

「離しなさいよ、離せってばーっ！」

暴れる千春を創太が押さえつける。

「君、ここは俺が立て替えておくから、その女を外に連れ出しなさい」

「すみません」

　流聖の言葉に、創太は千春を引きずる様にしてカフェを出た。窓の外ではまだ千春が暴れて喚いていたが、そこに中年の男女が現れた。男性は千春の頬を叩き、女性は泣きながら創太に頭を深々と下げている。

「……もしかして、腐豆腐さんのご両親なのでしょうか？」

「そのようだな。腐豆腐ってなんだ」

「上から読んでも下から読んでも、になってます」

　わあわあ泣く千春をタクシーに押し込み、中年の男女は去った。そして、残された創太は疲れ果てた顔でカフェの店内に戻ってきた。

「……皆さん、お騒がせして申し訳ありませんでした」

　彼が身体を折って謝罪すると、事のあらましがわかっていて、気の毒な創太に皆が同情していたため、店内からは「大丈夫ですよ」「お疲れさまです」と優しい声がかけられた。

「畑中くん、ちょっと休みなよ」

「顔色が悪いな。ここへ座れ」

「ありがとうございます」

　ふたりの邪魔をしたら悪いと躊躇っている創太を、流聖は隣に座らせた。

「あーやべー、なんか泣きそう」

「畑中くん……」

カフェのスタッフが、新たに創太のおしぼりと水を持ってきてくれた。創太が「ご迷惑をおかけして申し訳ありませんでした」と頭を下げる。スタッフに「いいえ。大変なご事情みたいですが、この店で少しでも心を休めていかれてくださいね」と声をかけられて、創太は顔をくしゃっとさせた。

「千春の親御さんに来てもらったんだけど……千春が家を飛び出したって、俺の所に行方を探す親御さんから連絡があったんだ。不倫相手の奥さんに、訴えられてるらしい。実家に連れて帰って、もうこっちに来ないように見張ってくれるって言ってる。ったく、何やってんだよって感じ。俺は、あいつと結婚するために、働いて、貯金して……なのに……」

創太は「馬鹿みたいだな、俺」と涙を零した。

「あいつを許せない俺が弱いのかなぁ……本気で好きだったのに、どうしても許せなかった……」

いつも陽気で優しい創太が弱っている姿を見て、凛子は何も言えなかった。

「彼女は、向こう側の人間なんだろう」

流聖が言った。

「人間は、浮気する者と浮気しない者に分かれる。向こう側には、バレなければいいと言って、平気でパートナーを裏切る人間がいる。君はこっち側の人間なのだから、こっち側で恋人を見つければいい。大切にする相手を間違えた、それだけの事だ。君が悪いんじゃない」

「……そうですか」

「向こう側の人間は、言い訳をして自分の裏切りを正当化しようとするが、耳を貸すことはない。あの女性の事は早く忘れるんだ」

「はい。ありがとうございます」

「……畑中くん、元気出して。流聖さんの事を『兄貴』って呼んでいいからさ」

凛子が重々しく言った。

「……は？」

一瞬、千春の事を忘れた創太がアホ面になった。

「凛子、それだけはやめてくれ」

流聖が、額を押さえて俯きながら言った。

「カモミールティーを三つ、ホットで頼む」

「はい、わかりました」

流聖の言葉に店員が答えた。

「さすがは流聖さん、シャレオツなハーブの飲み物で畑中くんの心を腐豆腐さんから逸らすんですね！」

「残念」

流聖は、身を乗り出した凛子の額を人差し指でぐりぐりしながら言った。

「そのような小手先のテクニックではない！　カモミールにはリラックス効果があり、ストレスを緩和する。別にシャレオツだからではない」

凛子は右手でグリグリしてくる指を持ち「なるほど、勉強になります、さすがは師匠ですね！」と力強く頷いたが、その拍子に流聖の指を力強く反対側に曲げそうになった。彼は慌てて指を回収して「ふっ、油断のならない弟子だな」と呟いた。

「え、弟子って何？」

畑中創太の呟きは、凛子に無視された。

「あ、そういえば、ホテルのラウンジでハイティーをいただいた時も食後にカモミールティーを飲んで、そんな話をしましたっけ」

「おや、忘れていなかったか」

「忘れるっていうか、あの時は緊張していたから、話の内容が半分しか頭に入ってこなかったんです。かろうじて記憶の断片が残っているくらいです」

「そうか。……今となっては懐かしい感じがするな」

流聖は、凛子に向かって微笑んだ。

「はい、つい最近のことなのに、あの出会いの日が遙か昔のことのように思えますね」

ふたりがちょっと年寄りくさく『ほうっ』と息をつく。

そこへ、カフェのスタッフがポットに入ったカモミールティーを運んできてテーブルに置いた。

「ほほう、スケスケポットとはさすがシャレオツカフェですな。草が浮いているのが見えます」

「草ではなくハーブと言え」

耐熱ガラスのポットの中には、カモミールの花と数種類のハーブがブレンドされて入っているが、見た目は確かに湯に浸かった草である。

「お好きな濃さでお飲みください。お湯を足す事もできますので、お気軽にお声がけくださいね」

価格設定が高めだが人気があるこのカフェは、サービスが行き届いているらしい。

各々がこぽこぽとハーブティーをカップに注ぎ、少しの静寂が訪れた所で畑中は言った。

「ええと、佐藤、聞いていい？　この人は佐藤の……」

「あっ、ごめん！　畑中くんに紹介するのを忘れてたね」

凛子は持ち上げかけたカップをソーサーに戻して言った。

「流聖さん、こちらはわたしの会社の同期の畑中創太くんです。親切でいい人で、お世話になってます」

「そうか。うちの凛子が世話になっている」

いつのまにか『うちの』になっていた。

「い、いえ」

創太は（なんだこのイケメン、威圧感が半端ねーな）と思いつつも頭を下げた。凜子は、そんな流聖をあっさりスルーして、紹介を続けた。

「そして、畑中くん。この尊い方は、わたしの人生の師匠である何でも知ってる流聖さんです」

「………え？　それだけ？」

「おーまーえーはー」

「いたいいたいいたいいたい」

さっきの三倍くらいの力で額をグリグリされた凜子は悲鳴をあげた。

「なんで肝心な事を外すんだ」

「え、だって……」

凜子は凶器を両手でつかんで止めた。

「は、恥ずかしいじゃないですか！　流聖さんと、こ、婚約して、今日は流聖さんの愛とセンスがこもった特注のクリエイティブな素晴らしく尊い婚約指輪と、ふたりの永遠の愛を誓うエターナルラブフォーエバーな結婚指輪を注文してウキウキ気分だなんて！　しかも、物語の王子様のように、流聖さんが花束を持ってわたしにプロポーズしてくれた顚末とか、ふたりの愛の、あっ、これ以上は言えない、思い出すと、ふっ、ふぐっ、ぐふふふふっ」

幸せな気持ちを言葉にできない（不審者にしか見えない）凛子を放置して、流聖が言った。

「一言で言えば、婚約者だ」

「あ、そうなんですか……って、ええっ、佐藤、婚約してたの⁉」

「そうなんですよ畑中くん！　婚活戦士の佐藤凛子、この度華々しく婚約しました！」

右手でVの字を作って額に当ててポーズを決める凛子に、「それはおめでとう！」と言って自分もVの字ポーズを決める畑中創太は、本当にいい奴である。

自分が婚約破棄の修羅場だったというのに……。

流聖が落ち着いてカモミールティーを飲んでいるので、創太も凛子を……流聖の右手をこねくり回しながら「むふん、ほら、ほらほら、この指のリングはわたしとお揃いのペアリング、ペ・ア・リ・ン・ぐふっ、なのですよ、見てください、この尊い輝きを！　あ、このさりげなく主張している緑の宝石はですね……んむふふ」などと悶えている凛子を横目で見ながらカップを持った。

「あ、いい香りのお茶ですね」

リンゴに似た香りがするハーブティーを、創太はゆっくりと飲んだ。そして（この限りなく怪しい生き物と、この男性は本当に結婚するつもりなのか？　はっ、まさか、佐藤が騙されているとか？）という内心の動揺を隠しながら、ちらちらと凛子と流聖を見比べた。

「このハーブティーは欧米では寝る前によく飲まれるらしい。日本でも割とポピュラーでスーパーでも手に入るが……」

流聖は、ペアリングのついた手を凛子の頭に乗せると「そんなに喜んで、可愛いやつだな」と撫で始めた。彼の表情はあまり変わらないが、口元がほんの少しだけ緩んでいる。

（なんて事だ、本気でこんなにも怪しい姿の佐藤にメロメロだというわけか！　なんて心の広い男性なんだ、さすがだ、さすがです、兄貴……）

凛子を愛でる流聖を、創太は尊敬した。そして、幸せそうに笑っている凛子を見た。

「佐藤はこっち側の、浮気をしない人間だというわけですね」

「そうだ。君もこっち側なのだから、こっち側の女性をきちんと見極めて、真面目に付き合う方がいい」

「はい」

創太が凛子を見ていると、突然隣の流聖に頭をがしっとつかまれた。

「ひっ！」

「おい駄目だ、凛子は俺のものだからな！　そんな目で見るな！」

「いえ、正直佐藤にはそんな気持ちは一切ありませんので……近い……」

創太は、目の前の美貌を見て狼狽えた。

「……いやマジ、近すぎますから！　すみません、兄貴、手を離してもらえますか？」

「畑中くん！　やめて！　流聖さんはこっち側だけど狙うのはやめて！　わたしから流聖さんを盗らないで！」

「おい、どう見ても、俺は狙ってねーだろ！　あとな、佐藤、妙にワクワクしながらこっちを見るのもやめてもらえるかな？　そして兄貴はこの手を離す！」

創太は凛子と流聖を見比べて（このカップルとあんまり深く関わらない方が身のためだな）と、逃げ出す算段を始めたのであった。


「なんか佐藤と兄貴を見てたら、すっかり肩の力が抜けたなあ」

畑中創太は伸びをすると、笑って言った。

「無理していたけど、俺たちはとっくに終わってたんだな。もうそれはそれで受け入れて、これからは『こっち側』の本当のパートナーを探そうと思うよ」

「そうだな。デキる男は切り替えが早いものだ。そういえば俺も、何回も……去られるたびに……切り替えてきたし……」

最後の方は聞き取れなかったが、その表情にあまりにも暗い影が差していたので、凛子も創太も（あ、これは触っちゃいかんところだ）と察してスルーした。

「うん、そうだよ。畑中くんはすごく良い人だし、女性社員にも人気あるしさ。彼女持ちだからっていって、誰も積極的なアピールはしてなかったけど、実はかなりモテると思うよ」

「えっ、そうなのか？」

「うん、何度かそういう話も聞いたもん。自覚がないみたいだけど、我が社では有名な人気男子なんだよ」

「俺が？　マジか」

「マジだ。飲み会の時、先輩から後輩まで、女子が代わりばんこに畑中くんの隣に座ったじゃない。あれって、畑中くんと話したい女子の間で順番決めがあったんだよ」

「そう言われてみれば、そんなこともあったな」

「いよっ、乙川のモテメン！」

「おお、なんか、希望が見えてきたぞ！」

見た目はフツメン、中身がイケメンな創太は、自分の評価を知らなかったらしい。凛子の言葉を聞いて、かなり気分が上がったようだ。

「そっか。よし、じゃあ、俺もまともな彼女を探して、佐藤と兄貴の様に信頼し合える幸せカップルになるぞ。佐藤も兄貴も『こっち側』だもんな」

ふたりは強く頷いた。

「もちろんだ。俺は凛子一筋だからな」

「わたしも、流聖さん以外には目もくれませんよ」

「凄えなあ……」

感心した創太があまりにも熱い視線で見つめてくるので、ふたりは思わず手を握り合った。

「おい、凛子は絶対にやらないからな、そんな目で見るな」

「畑中くん、流聖さんは駄目だよ！　そういう性的指向の人を差別するわけじゃないけど、流聖さんだけは本当に駄目。他を当たって」

「ちげーよ！　なんでそうくるんだよ、このバカップル！」

真っ赤な顔で抗議する創太に、店内の客たちは『そうそう、見た目がいいのに中身が残念でちょっと変なバカップルに負けるなよ！』と心の中でエールを送るのであった。

第十章　甘い婚約者

元気を取り戻した創太を見送り、凛子と流聖は今後について話し合った。

「順番が前後したが、今週末にお互いの実家に顔を出して、婚約の報告をしたいな」

「あっ、そうですね。結婚はふたりだけの問題ではありませんからね」

「万が一反対されたら攫うつもりだがな」

「ひいっ、マジな顔で冗談を言うのはやめてください、流聖さんが言うと信憑性がありすぎるんですよ」

するると、流聖が珍しく『この上なく優しい笑顔』を見せながら凛子に囁いた。

「いや、冗談ではないが」

「ひいいいっ！」

凛子は『この上なく血の気の引いた顔』になって、軽く悲鳴をあげた。

（り、流聖さまは、ヤンデレ要素をお持ちなのですね！）

心なしか腰が引けて見える凛子に、ヤンデレ師匠はなだめるように言った。

「安心しろ、日本中の、いや、海外のどこに行っても、俺はパソコンさえあれば仕事ができるし、独身でひたすら仕事に打ち込んでいたから財産もそれなりにある。だから、万一駆け落ちということになっても、お前に生活の不自由はさせないぞ」

「ソ、ソウデスカ」

（でも、監禁はやめてくださいね！）

「お前ひとりくらい楽に養えるし、もちろん子どもが欲しければ計画しよう。シッターを雇って猫のように遊んで暮らしても大丈夫だ。美味しいものもたくさん食べさせてやるし、旅行に行くのもいいな。そうだ、海外の土地が広い家なら庭にサボテンワールドを作る事もできそうだな。俺がデザインしてやるから、毎日サボテンブログを連載する素敵なウェブサイトを作るか？」

「え……なんですか、その極楽生活は」

凛子の脳裏に、あらゆるサボテンが植えられた広々としたガーデンが思い浮かんだ。そこでは可憐(かれん)なピンクのサボテンの花びらが揺れている。

「コアなファンがいるだろうから、サボテン界のトップブロガーになれるぞ。そうしたら、サボりんが凛子とのコラボを申し込んでくるかもしれないな」

「サ、サボりんとのコラボですと！　なんたるドリームズカムトゥルーでしょう！　流聖さん、あなたは実はどこぞの王子なのですか⁉」

「王族ではないが……」

流聖は凛子の耳元で「地位と名誉とお金はそこそこ持ってる、普通のウェブデザイナーだ」と囁いた。

「だから、何があっても俺と結婚しろよ？」

「はい師匠、地の果てまでお供いたします！」

「うむ、良い心がけだ」

まんまと言いくるめられた凛子は（俺の嫁は本当に扱いやすい素直な奴だな。好きなだけサボテンを買ってやろう、なんならサボテンの檻（おり）で囲んで……逃げられないように……くくっ）と内心がサボテン魔王と化している流聖に頭を撫でられながら、笑顔で頷いた。


「俺の方は、土曜日の午後で大丈夫だ」

「あ、うちは日曜日の午後で大丈夫なんですけど、事情を説明しろってすごい勢いでメールが来ちゃって……」

凛子と流聖は、それぞれの家族に婚約した事を連絡し、顔合わせの日程を調整していた。

どちらの家族も喜んでいたのだが、流聖の実家の方は「お兄ちゃん、あんた、とうとう、やっと片づくのね！　ありがたや、ありがたや、そのお嬢さんを絶対に逃すんじゃないわよ！」という妙な勢いのある喜び方である。

一方で、凛子の実家では「それって本当に大丈夫なの？　騙されてお金を取られてない？」という、疑惑半分の喜び方だ。彼女の家族には、高校ジャージを着てパソコンに向かって「ぐふっ、ぐふふっ」と笑う凛子のイメージしかないのだから、これは仕方がない。

「ご家族には、今晩電話で詳しく説明するって言っておけ。なんなら俺が電話してもいいぞ」

メッセージの応酬に四苦八苦している凛子に、流聖が言った。

「ありがとうございます。あ、流聖さんとのツーショットを撮って送ってもいいですか？　うちの親ったら、わたしが妄想の世界で婚約したんじゃないかって疑い始めましたよ」

「かまわんぞ」

というわけで、流聖の隣の席に移った凛子は、肩を抱き寄せる流聖とのツーショット、および、お互いのペアリングを見せたツーショット写真を送り、『何だこのとんでもないイケメンは！　これは絶対間違いなく結婚詐欺だ！　あと、これは凛子じゃない！　凛子に似た何かだ！　本物の凛子をどこにやった⁉』と佐藤家をさらなるパニックに陥れたのであった。

外出中なので電話をかけられる状況ではないし、家族にメールでいくら説明してもドツボにはまるだけだと気づいた凛子は『すべては夜に電話で説明するからね。お金は一切払ってないからカモられてないし、とりあえず落ち着いて待って』と親へのメッセージを送り、流聖に「はい、終了です！」と言った。

「これからどうしましょうか？」

「今夜ディナーの予約をしているホテルのカフェラウンジに移動しよう。そうだ、結婚情報誌を買ってみるか？」

名前は知っているが一度も買ったことのない雑誌の名前を流聖に言われて、凛子は目をぱちくりさせた。

「その結婚情報誌って、あの、キラキラしたコマーシャルのアレですか？」

凛子は、どこだかわからない南の島のビーチで、白いタキシードを着たイケメンとウェディングドレスの可愛こちゃんが永遠の愛を誓い合うという、実際にやったら砂だらけだろうという感じの映像を思い浮かべた。

流聖は無駄にカッコ良く頷いた。

「そうだ、アレだ。情報の収集をネットで済ませる事もできるが、アレは人生で今しか読めないからな」

「人生で今だけというのは……何というレアアイテム……」

ちなみに、男性の流聖がなぜその雑誌の事を言い出したかというと。

実は彼は、過去に何度かその雑誌に手をのばしかけた事があるのだ。しかしなぜか買う前に彼女に去られて、一度もその中を見ることなく生きてきた。

彼にとってはもはや呪いのアイテムだったといえよう。

しかし。

イケメンもサボりんも一緒くたの凛子と婚約した今は違う。

凛子は『あなたの隣に立ち続ける勇気がないの』などと殊勝な事を言い出す性格ではない。むしろ、全身が緑色のサボりんのコスプレを流聖にさせて、意気揚々と隣に立ち「うひょう！　師匠、サイコーにイケてます！」とピースマークでツーショット写真を撮りまくるだろう。

　それはそれで困る気もするが。

（くっ、長い道程だったが、ようやく俺はアレを手にすることができるのか……ようやくこの日が来たのだ……）

　無表情のまま、ひっそりと感激するイケメン。

「買いますーっ！」

　流聖のそんな想いには気づかなかったが、凛子はキラキラした雑誌を思って瞳をキラキラさせた。

「まさか、わたしがアレを読む日が来るなんて。一度は諦めた結婚式を挙げることができるのですね！」

　そうだ、凛子は昨夜、婚活を終了し、一生独身でいる決心をしたのだ。それが、こうしてイケメン師匠のプロポーズを受け、ペアリングを身につけ、婚約指輪も結婚指輪もオーダーを終えて今度は結婚式の計画をする。

　一発逆転、究極のどんでん返しである。

　一方、ようやく可愛い嫁がもらえる事になった流聖の、結婚への思い入れも強かった。

「そうだな。一生に一度の記念日だ、よく意見を擦り合わせて具体的に計画を立てていこう。ハイクラスの結婚式場での派手な披露宴でもいいし、海外でのふたりだけの落ち着いた挙式でもいい。ドレスでも白無垢でも好きなだけ着るといい。凛子がやりたいなら俺はどっちでも良いし……」

流聖はニヤリと笑うと声をひそめ「費用の事は一切心配するな。そして、俺がすべてコーディネートする」と凛子に言った。

「凛子は好きなだけ夢を語るがいい……そして、ふたりでプライスレスな想い出を作ろう」

（プライスレスですと！　天井知らずの予算をぶっ込んでのプライスレス！　ああ、これは乙女の夢を貪る悪魔の誘惑なのでしょうか？）

楽しみなあまりくっくっくと悪役じみた笑いを漏らす流聖に、凛子はつい「越後屋、お主も悪よのう」と返してしまったが「ふっ、お代官様には敵いませぬ」と応えられて、流聖への尊敬の念をさらに募らせたのだった。

その日、とある書店にモデルの様な美形男性と上品にドレスアップして頬を染めた可愛らしい女性がやって来て、結婚情報誌の置いてある所にまっすぐ向かった。彼らは雑誌を一冊取り上げると、ふたりで仲良く持って、会計カウンターに差し出した。

顔を見合わせて幸せそうに微笑み合うその姿があまりにも輝いていたので、書店員も居合わせた客も「え？　もしかして、これはＣＭの撮影をしてるの？　カメラはどこ？」と周りをきょろきょろと見回したのであった。

さて、お目当ての雑誌をゲットしたふたりは、ホテルのラウンジにやって来た。

案内されたのは、壁際の二人がけのソファ席だった。この席には他には椅子がなく、丸いテーブルが置かれているので、静かなラウンジでゆっくりと話をすることができるのだ。

これからディナーを控えているので、コーヒーと小さなケーキを頼んだ。

「わたし、このアメリカンチーズケーキが食べたいです」

美味しそうなケーキの写真が並ぶメニューを見て、凛子は悩んでから指差した。

「そうか。俺はオペラか和栗のモンブランにしようと思うが、凛子はどっちが好きだ？」

「モンブランに一票！　あ、でも、流聖さんの好きな方でいいのに」

「味見、したいだろ？」

低い声で囁かれて、凛子は身体の芯がぞくぞくっとなった。

「ふわあっ、そんな、仲良しカップルのような事を！」

（恥ずかしいです！　そして、いちいち男の色気を漂わせるのはやめてください、わたし、素人なのでくらくらしてしまいますから）

しかし、流聖は容赦しなかった。

「俺たちを仲良しカップル以外の何だと思ってるんだ？　ん？」

流聖に顎先をくすぐられながら「まだ夕食前だというのに、そんな可愛い声を出すとお前を食べたくなってしまうぞ」と言われ、凛子は真っ赤になった。

「美味しいケーキをお口にあーん、してやろうな」

「むほっ、あまっ！　流聖さん、めちゃ甘いんですけど！　流聖師匠の隠れた一面を知ってしまい、未熟者のわたしは鼻血が出そうです」

「甘いのは凛子だろう？　今夜も楽しみだな。うんと可愛がってやるから覚悟しておけよ」

「かかかか覚悟ってどどんなですかどんな」

流聖は、凛子の耳に口を寄せた。

「……それはあとでゆっくり身体に教えてやる」

「ひいっ」

流聖に耳たぶを軽く噛まれた凛子は、悲鳴を漏らさないように自分の口を塞いだ。

（セクシーダイナマイト流聖師匠、わたしのハートは木っ端微塵ですよ！）

イケメンのでろ甘攻撃は、破壊力が凄まじいのだ。

これまでの恋愛経験がうすーい一回しかない凛子は、興奮のあまり鼻血を噴いては大変なので、口と一緒に鼻の根元をぐっと押さえた。


「ほら、あーん」

「か、かたじけない！」

ケーキが来たら、本当に「あーん」してきた流聖にノックアウト寸前の凛子だったが、なんとか鼻血は出さずにやり過ごした。

「美味いか？」

「はい、美味しいです」

「チーズケーキも一口食べたいな」

「もちろんでございます！」

「……口移しで？」

「そそそれはご勘弁を！」

　凛子は完全に遊ばれていた。

　幸いな事に、このカップル専用の席は観葉植物や花が生けられた花瓶で見通しが悪い場所にあったため、他の客にイチャイチャ被害は出なかった。

　そして、ケーキを食べ終わると、流聖は例の雑誌を広げた。

「凛子の好みを知りたい、何でもいいから、意見を言ってくれ」

「はい、あ、これ素敵！」

　サボテン命の残念女子でも、やはり結婚を夢見る乙女なのである。凛子は嬉しそうに雑誌を読んで、流聖に笑顔で語った。流聖はそんな凛子を愛おしげに見守りながら、彼女が描く夢の結婚式を頭の中で組み立てるのであった。


　さて、まともにお付き合いもせずに、婚活の師匠と弟子という関係からひとっ飛びに婚約者となってしまったふたりである。

　いろいろ順番がおかしいし、やる事はやったくせにろくに恋人同士の語らいもしていなかったため、ホテルのカフェでの打ち合わせというこの貴重な時間は、凛子にとっての初めてのイチャイチャデートだ。

　先程のカフェでは畑中創太の騒ぎに巻き込まれて、ふたりきりの時間があまり作れなかったし（だが、創太に『惚気る』という経験ができたので良しとしよう）指輪を買う時も選ぶのに集中していた。さすがの流聖も、指輪にサボりんのモチーフを付けたくなかったのだ。

　というわけで、凛子と流聖はホテルのラウンジカフェでようやく恋人らしい事ができた。しかし、免疫のない凛子にとって、流聖が繰り出す『溺愛攻撃』は威力が強すぎた。

隣に座って密着しているものだから、雑誌を読んでいるとさりげなく肩を抱かれるし、「あ、これはどうですか？」と顔を上げると至近距離に整った顔がある。下手すると、そっと頬をくっつけてくる事さえあるのだ。恋愛初心者の凛子の心臓は、さっきから普段の二割増しくらいに働いていて、非常に忙しい。

「ん？　どうした？」

　目の前でにっこりと笑う流聖の顔に、凛子の鼻息が荒くなる。

「ち、近いです、流聖さん」

「何が？」

「何がって、顔、ですよ」

「顔を？　もっと近くに寄せろと？」

「違いま、ひょえっ」

　鼻の頭にキスされた凛子は、女子らしくない声を出してしまう。そんな彼女の初々しい反応を見て、流聖は内心で激しく萌えた。

「可愛いな、凛子は。夜が待てなくなりそうだ」

「ややややめてください、そういうのはっ」

　照れておもちゃのようにわたわた狼狽える凛子を見て、流聖はわざとらしくクールな表情になり、低く言った。

「しっ、騒ぐな」

「すみません！」

　ここは一流ホテルのラウンジで、クラシカルなＢＧＭが流れる中は静かな空間だ。席と席が離れているので実は悲鳴でもあげない限り大丈夫なのだが、流聖は凛子の唇を人差し指でなぞりながら言った。

「この口がおとなしくしていられないなら、俺が塞いでやってもいいが……」

「口封じですか⁉」

「そうだ」

「……窒息させるとか、やめてくださいね」

　完全に意味が違っている。

「婚約者の息の根を止めてどうする」

流聖は笑いながら凛子の頬っぺたをつつくと、素早く凛子の口を唇で塞いだ。

「んっ、んんーっ？」

「……こうやって口を封じるんだ。わかったか？」

「ひゃい」

突然唇を奪われた凛子は、真っ赤な顔で辺りを見回した。

（流聖さん、やんちゃ過ぎますよ、誰かに見られたらどうするんですか！）

動揺して上手く喋れない凛子は、流聖の腕をぺちぺち叩いて抗議する。その仕草が可愛くて、流聖はさらにエスカレートしていく。

「どうやらわからないようだな。ならばもう一度」

「よくわかりましたありがとうございます！」

（この『口封じ』も本気で息が止まりそうなんですけど！　佐藤凛子、結婚するまでは死にたくありません！）

上目遣いで流聖を見上げると、彼は凛子の赤くなった頬をむにむにと揉んで「可愛いなあ」と完全にデレた様子でにやけている。

「……流聖さん、今日はキャラが変わってませんか？」

クールで無表情の師匠はどこ行った？

「変わってないぞ。ただ、師匠から恋人にジョブチェンジしただけだ」

どうやら嫁ができた喜びで、お空の彼方へと旅立ってしまったようだ。

「……ジョブ、師匠に戻りませんか？」

凛子は地雷を踏んだ！

流聖は目を見張って言った。

「なんだと？　俺に、スパルタ師匠に戻れと……そうか、凛子は厳しくされるのが好きなんだな！　わかったぞ、お前は性的にM寄りの立ち位置というわけか。よし任せろ、俺はS寄りになるのはやぶさかではない」

ふう、逆でなくて良かった、と爽やかに笑うイケメンに一瞬見とれてから、凛子は己のハマった罠に気づいた。

「いやいやいや、ちょっ、マジ、待ってください！　違うんです、性的とかそういうんじゃなくってですね、わたしが言いたいのは……」

しかし、流聖は凛子の顎をくいっと持ち上げて、もう片方の手で頬を撫でながら超上から目線で言った。

「いい子にしていたら、後でたっぷりと気持ちのいいお仕置きをしてやるぞ？　朝までいい声で鳴かせてやるからな、覚悟しておけよ」

その暗黒魔王っぷりに、凛子は頭の先から爪先まで痺れてしまい、しばらく惚けた顔をしていたが、やがて魂が戻ってくると顔を引きつらせた。

「ひいいいいっ、何という不埒な事を！　しまった、『ドS俺様流聖様』が覚醒してしまったあああーっ！」

「ふっ、そんなに喜ぶな」

「喜んでおりません、拙者、これっぽっちも喜んでおりません故！」

動転して侍になり、怯えてふるふる震える凛子に、ドS師匠は雑誌を示した。

「さあ、お楽しみは後にしてこっちに集中だ。……どうしても集中できないなら、今すぐお仕置きしてやるが」

目を細めた流聖の色気にあてられて、凛子は気が遠くなりそうだったが、こんな所でお仕置きをされたらどうなるかと、心を奮い立たせた。

「申し訳ございません、今すぐ集中します、あんっ、集中させてくださいってば！」

つうっと背中を上から下まで指でなぞられた凛子は、えっちな声を出してしまったが、すぐにびしっと姿勢を正し、結婚情報誌を教科書を持つように両手で持つと真剣な顔で熟読するのであった。


「なんだか、めちゃくちゃお腹が空きました」

いろいろとエネルギーを使った凛子が流聖に訴えた。

「そうか。だいぶ捗(はかど)ったな。偉かったぞ凛子」

凛子の頭を、犬を褒めるように撫でる。そこで嬉しそうに「えへっ」と笑ってしまうのは、凛子の惚(ほ)れた弱みだ。

「早く食べたいな……凛子を」

「そっちかい！」

雑誌を読みながら、流聖からいろんな愛情表現をされた彼女は、持ち前の順応スキルの高さを発揮したようだ。突っ込みの調子を取り戻してきている。

「さあ、そろそろいい時間だ。レストランに行こう」

「はい」

そして、凛子をエスコートした流聖はレストランに向かい、クロークに結婚情報誌を預けてから、予約席に案内された。


「うわあ、見てください、流聖さん！　すごい夜景ですよ！」

ピアノの生演奏で女性ボーカルがしっとりとジャズを歌う中、ホテルの高層階にあるレストランのカップルシートに案内された凛子は歓声をあげた。

二人がけのシートの目の前は、ガラス張りの大きな展望窓になっていて、都内の夜景が光の宝石箱のように広がっていた。

「あっ、あれはスカイツリーですね？　高速道路の車のライトが繋がって、ほら、あそこの所が赤いネックレスみたいになってます。すごく綺麗ですね……」

今にも流聖の隣から飛び出して窓に張り付きそうな凛子の腕をしっかりとつかんで、流聖は「落ち着け、夜景は逃げない」と席に座らせた。

「ここなら、ふたりで並んでゆっくりと夜景を見ながら料理を楽しめるだろう」

「はい！　うわあ、すごいな！　こんな場所があるなんて、驚きましたよ！　世の中にはカップルにならないと足を踏み入れることができない未開の地が、まだまだあるのですね」

「『未開』の地ではないがな」

　突っ込みが板についてきた流聖は、凛子の喜びようを見て目を細めた。

「凛子は高い所が好きか」

「好きです！　あと、こういう不思議な感じのする風景とか、見るのが楽しいです」

「そうか」

「まるでアトラクションみたいですね。あんまり行く機会がないけど、テーマパークも好きです」

「これからはいろんな所に連れて行って、ひとりではできない経験をさせてやるからな」

「流聖さん……楽しみです。ありがとうございます」

　凛子は笑顔でお礼を言った。

「まるでお父さんみたいですね」

　そこで流聖はかくっとこけた。

「お前は……」

　無邪気に流れる光を追う凛子は、流聖の中の魔獣の魂に火をつけてしまったことに気づかない。

（ふっ、夜は長い。俺は決してお父さんではない事を身体に教えてやろう……）

コース料理の予約がしてあったので、ふたりはメニューを眺めてドリンクを選んだ。

「凛子はあまり飲まない方がいいな。酔い潰れて寝てしまう事は避けたい。絶対に避けたい」

「今、大事な事なので、二度言いましたね」

「当然だ」

という訳で、ふたりはアルコールの少ないさっぱりしたカクテルを頼んだ。甘味がほとんどないので料理の味を損なうこともないし、ミントがほんのりと香って爽やかな気分になる。

「美味しいです。そして、アルコール濃度もコントロールしてくるとは、さすがはコーディネーターの流聖さんですね。おモテになるだけあって、手慣れていらっしゃいますね」

「人聞きの悪いことを言うな」

流聖は軽くデコピンをして笑った。

「俺はいったんこうと決めたら一途だぞ」

「わかっております、安心して拙者の背中をあずけられます」

「……お前は何と戦っているんだ？」

流聖は首をひねった。

「あ、あざとい！　なんで白いニョッキの中にピンクのハート型がさりげなく混ぜ込まれているのですか？」

「仲良く食べるためだ、あーん」

「……ふたり分が、ひとつの器に入っているのは」

「仲良く食べるためだ、あーん」

「……美味しいです、でも、ひとりで食べられますので、わたしの分のナイフとフォークを」

「駄目だ。このコースは『ラヴィングシェア』という、予約必須の人気のコースだからな。そのコンセプトに則って食べなければならないのだ、あーん」

「……くうっ、誰だ、こんな心臓に悪いコースを考えた奴は！」

「天才だな。あーん」

「……く、悔しいが、美味すぎる！」

そう、このレストランのカップル専用コース『ラヴィングシェア』は、男女が、しかも男性が右手に来て横並びで座り、料理を女性に手ずから食べさせるという、恐ろしくマニアックなディナーなのだ。

しかし、シェフが渾身(こんしん)の力を込めて作るこのコース料理は大変美味しいと評判なので、若いカップルだけでなく、結婚記念日のお祝いや金婚式を迎える夫婦にまで人気があるのだ。

凛子は恥ずかしかったが、それ以上に料理に魅了されていたので、流聖にしっかりと餌付けされ、美味しくディナーを食べるのであった。


そして、デザートタイムになった。

ワゴンにデザートプレートを乗せてやって来たウェイターが、流聖に目配せをして、赤い薔薇の花束を渡した。

その時、少しハスキーな声で、シンガーが凛子へのメッセージを言うのが聞こえた。

「Congratulations, Rinko. I'll give you this song.『Smile』」

「凛子、俺からのプレゼントだ」

流聖は「今度は借り物じゃないぞ?」とひとつウインクをして、凛子に花束を渡した。

「流聖さん……」

有名なスタンダードナンバーを、女性ボーカリストが甘い声でゆっくりと歌う。

『笑って　どんな時も
笑って　たとえ悲しみがやって来ても
君の笑顔の輝きは　素敵な未来を呼び招くから』

そんな内容の英語の歌が、ジャズピアノの演奏をバックに流れた。

「……流聖さん、ありがとうございます」

「こちらこそ、ありがとう。そして、末長くよろしく頼む。俺はお前がいつでも笑顔でいられるように、お前を守って生きていくつもりだ」

「……なんだか、夢を見ているみたいです」

「これは、一生醒めない夢にしよう」

歌が流れる中、流聖は瞳を潤ませる凛子の唇にそっと口づけた。


花束を大切そうに持った凛子は、甘ーいデザートを食べた。もちろん『あーん』だ。そしてお約束の「口にクリームが付いてるぞ」とぺろっと舐められるおまけもついている。

こんなイチャイチャは、独立したカップルシートならではの楽しみなのである。

そして、都内のイチャイチャポイントを把握して、素早く予約した流聖は仕事ができる男である！

「美味しかったですね。お腹がいっぱいです」

「そうだな。楽しいディナーだった」

食後のコーヒーを飲む時にスタッフに薔薇の花束をあずけたので、凛子は手ぶらだ。どうやらあの薔薇は、デラックスルームに生けておいてもらえるらしい。

「そろそろ戻るか。部屋でゆっくりしよう」

「はい。どんなお部屋か楽しみですね」

恋愛初心者の凛子は、部屋でゆっくり『何を』するのかまったく考えずに、にっこり笑いながら言った。

第十一章　ラグジュアリーな夜

さて、ふたりが泊まるこのシティホテルは、ラグジュアリーな空間と時間を提供する高級なホテルで、おひとり様からファミリーまで様々な客層に対応している。プールやスパ、ヨガルームなどの様々な設備も取り揃えているが、特にカップルに対するサービスが充実していた。

レストランにはカップルのための席や特別メニューが用意されているし、流聖が予約したデラックスルームには、フロアーにひとりの簡単なバトラーサービスも付いている。

ディナーを終えたふたりが部屋に行くと、扉の中には年配の男性が待ち構えていた。

「お帰りなさいませ」

(ひっ、ひつじ、じゃなくて執事！)

驚きながらも内心でボケてみせる凛子は、ある意味肝が座っている。

「ただいま」

部屋付きのバトラーに出迎えられて部屋に入った流聖は慣れた手つきでチップを渡した。

彼は「なんでホテルに執事がいるの？　コスプレ？」と驚く凛子の肩を抱くと、チョコレートや苺ののったプレートが置かれたテーブルに導いた。バトラーの男性が、ふたりのグラスにシャンパンを注ぐ。

先程流聖からプレゼントされた赤い薔薇の花束はクリスタルの花瓶に生けられているし、浴室もいつでも入浴できる様にお湯が張られて、バトラーはふたりを迎える準備を終えていた。

「ご苦労様。今夜はもう用事はないから下がっていい。明日の朝食はルームサービスを頼む、時間は後で連絡する」

「はい、それでは失礼いたします。お呼びの際は、何時でも対応可能ですのでこちらの電話でお願い致します」

バトラーはふたりにお辞儀をすると部屋を後にした。

日本ではあまり馴染みがないシステムだし、部屋に他人がいると落ち着かないという客も多いので、デラックスルームに宿泊する客に呼び出されたらバトラーが部屋に赴く様になっているのだ。

「ふわー、ビックリしました。ホテルに召使い付きのお部屋なんていうものがあるなんて、初めて知りましたよ」

「そうだな、日本では珍しいな。海外では、部屋にバトラーが常駐しているルームも多いが。何でも頼めるから便利だぞ」

コーヒー一杯すらバトラーが入れるので、高級なホテルにはセルフのお茶セットは置いてないのだ。

「落ち着きませんよ、召使いなんて使い方がわかりません」

「じゃあ、使われる方になるか？」

「それもイヤです」

「冗談だ。俺が欲しいのは、召使いではなくて妻だからな。それに、今夜はふたりきりで過ごしたい」

流聖は、凛子の頬を撫でると額に唇を落とした。

「うひょおっ、照れます！」

照れてくねくねする凛子に、流聖はまったく動じずに「こぼすなよ？」とシャンパングラスを持たせると、夜景に向かって上げた。

「さあ、酔わない程度に乾杯だ。記念すべきこの夜に」

「はい、乾杯……あ、美味しい」

立ち昇る高貴な香りに酔いながら、凛子は夜景と流聖とどちらに見惚れようかとそわそわして忙しい。ちらっと流聖を見ると、彼は苺を凛子の口に放り込んできた。彼はまだ餌付けモードが続いているらしい。

「うわあ、甘くて美味しい苺です」

凛子はもぐもぐと口を動かして、みずみずしい果物の甘さを堪能した。テレビ番組で、こんな苺がびっくりする様な値段で売られていると紹介されていた記憶があるが、流聖相手に常識を求める事はとっくに諦めている。

諦めている凛子なのだが。

「待ってください、本当にハードルが高いんですってば！」

「気にするな、恥ずかしい場所を拝みあった仲なんだ、一緒に風呂に入るくらい、全然まったくたいした事ではないぞ」

「いやでも、気にしますって！　拝んだ事は慎んで謝罪致しますので、どうか堪忍してください」

やはり諦めきれない凛子は、往生際が悪く、一緒に入浴したいと迫る流聖から逃げ回っていた。

「わたしはお見せする程の身体をしてませんから、明るい所で見られると溶けてしまうんです」

「そうか、身体が溶けるほど気持ちよくしてやるから。さあ、いい子だからこっちに来い」

「ひいっ、話が通じない！　貴様、宇宙人か？」

「背中のファスナーを下ろすのが、地球に来た俺の使命だ」

「ああっ、殿ーっ、ご無体な！」

「よいではないか、よいではないか」

「無駄にノリがいいし！」

「ほれほれ、案ずるな、もっと近う寄れ」

間違っている。

ロマンチックなシティホテルのカップルのためのラグジュアリーな部屋で、なぜ殿が腰元を追いかけているのだ。

というか、流聖は自分がイケメンである事をもっと自覚する必要がある。

逃げる凛子は、あっという間に流聖に捕まり「よいではないかー」といい笑顔の殿に服を脱がされてしまい、悲鳴をあげてバスルームに駆け込んだ。

「もう、流聖さんのえっち！」

バスルームのドアが開き、顔を出した凛子がひと言叫んだ。

「えっちなのは男の仕事だぞ」

流聖は服をランドリーバッグに入れると、自分も服を脱いで惜しげも無く引き締まった裸体を晒した。

「さあ、身体の隅々まで綺麗に洗ってやろうな」

「やめて、来ないで！」

「ふっふっふ、この風呂に鍵はない。愛し合うふたりを隔てるものは何一つ存在しない部屋だからな」

そして、浴室の扉を開けて仁王立ちする流聖を見た凛子は、明るい浴室で改めて流聖の全裸に対峙して、またしても「……尊い……わたしの身体の百倍は尊いものを拝見いたしました」と呟き、流聖に「だから拝むな！」と叱られたのであった。

献身的な殿に全身を洗われた凛子は、ぐったりしながら浴槽に浸かっていた。その後ろから流聖が抱きしめている。彼の尊いものが当たるのを感じていたが、メンタルが限界の凛子はゴツゴツした感触にも反応することができなかった。

流聖が浴槽の脇のスイッチに触れた。すると、浴室のライトが暗くなり、ジャグジーバスがほんのりとブルーの光を放つ。

それだけではない。

「ええっ、窓が！　流聖さん！」

どんな仕組みなのか、今まで不透明だった窓が透明になり、外が丸見えになったのだ。

そこに広がるのは、都内の夜景だ。高層ホテルの部屋から見下ろすネオンの海は七色の光を放ち、まるで夜空に浮かぶバスルームにいる様な感覚になる。

「すごい……凄過ぎです」

ロマンチックを片端からなぎ倒す凛子も、さすがに絶句した。

「綺麗な街だろう。今日のこの眺望はどんな宝石よりもいい記念になると思わないか？」

「はい。わたし、一生忘れません」

「俺も一生忘れない。そして、ずっとこうして凛子と一緒にいて、いろんな綺麗なものや楽しいものを見て、楽しく暮らしていきたいんだ」

「流聖さん……本当にわたしでいいんですか？　婚活に苦戦する、普通のＯＬですよ？　特に美人でもないし、取り柄もないし」

「でも、笑顔がとびきり可愛くて、一緒にいて最高に面白い世界一の珍獣だ」

「ちょっ、まさかの珍獣扱いか！」

凛子は身体を捻って、流聖に向かってふくれっ面をした。

「ひっどー！」

しかし、流聖は凛子の尖った唇にキスして言った。

「世界に一匹だけしか生息しないからな、この『凛子』は。貴重な生き物だから、一生逃がさないぞ……凛子、可愛いな」

そういって、彼女の身体を愛おしげに撫でる流聖の瞳がとても優しい光を放っていたので、凛子は（どんな夜景よりも綺麗な宝石はこの人だな……）ととても幸せな気持ちになったのだった。


ぬるめのお湯にゆっくりと浸かったふたりは、暗くした部屋で夜景を見ながら、ノンアルコールカクテル（凛子は酔うと爆睡するのだ）を飲んだ。

「ちなみに、明日着る服は上から下までクローゼットに用意してあるから心配するな」

お揃いの白いバスローブを着た流聖に、凛子は「なんたる神業！　さすがは師匠です、コーディネートの神です」と言った。

「そうだ、休む前に凛子のご両親に挨拶をしておかなければならないな。スカイプは使えるのか？」

「やめましょう！　高層ホテルからの夜景をバックにこんな格好でスカイプなんてしたら、両親が腰を抜かしますから」

「それもそうだな。……ふたりの関係を納得してもらうのにいいかと思ったが」

「いやいやいや、それは脅しに近いです、ごく普通のお人好しの両親なので、どうぞお手柔らかにお願いします」

というわけで、凛子は両親に電話をして経緯を説明し、さらに流聖が直接挨拶をしたが、佐藤夫妻が挙動不審になってしまったので、挨拶をするだけにとどまった。

「ご両親も、凛子に似た反応をするんだな……」

合間に何かを倒す音や「あ、割れちゃったわ、お父さん、それ踏んじゃダメ！」「おわっ」などという騒ぎを挟みつつ通話を終えた流聖は、血は争えないものだと感心するのであった。


「さて……凛子、おいで」

「はい、師匠……ひょえっ？」

ソファに座っていた凛子の膝の下に腕が入れられたかと思ったら、ひょいと抱き上げられたので、慌てて流聖の首にしがみついた。

「流聖さん……」

憧れのお姫様抱っこをしてもらい、そのまま寝室へ運ばれて行く。

「昨日の夜は、若干の認識の相違が存在したので、今夜を婚約した俺たちの初めての夜としようと思う」

「異議なし」

「身体に痛むところなどないか？」

「大丈夫です」

「そうか。それならば遠慮はしない」

ベッドに凛子をおろした流聖は、黒い瞳を獣のように光らせて言った。

「俺は有言実行する男だ。今夜は全力でお前を可愛がり、身体に俺を焼きつけてやる」

「あの、師匠、どうかお手柔らかにお願いいたします……って、流聖師匠、なんですかこれは、ああっ！」

「いい子だからおとなしくしていろ。天国に行かせてやるからな」

流聖は手早く凛子のバスローブを脱がせ、ベッドサイドに用意してあったピンクのふわふわした手錠を凛子に付けようとした。

「うえええええーっ？　ちょっ、マジ、待ってくださいなんでこんなのいつのまにーっ！」

昨日処女を卒業したばかりだというのに、いきなりＳＭに持って行かれてはたまらないと、半裸にされた凛子は全力で抵抗して手錠を取り上げた。

「もしかして、こんなものまで、さっきのバトラーの人が用意したんですか⁉」

「そうだ。便利だろう」

「使い方を間違ってると思います！」

「目隠しも用意してあるぞ。ほら、柔らかい筆も用意した。刷毛だと固くて肌触りが悪いから、一番柔らかくて気持ちの良い筆を選んでおいたからな」

「その心遣いは、別の方向に使って欲しかったです」

「目隠しもふわふわだぞ。視覚を奪われて感覚が研ぎ澄まされた凛子に、いろいろと恥ずかしい悪戯をしてやるからな、楽しみにするといい」

「全然楽しみに思えませんよ！　あのですね、流聖さん、ご存知とは思いますが、わたしは昨日まで処女だったんです」

「よしわかった。清純な処女が官能の海に溺れる感じでプレイして欲しいんだな。夜は長い、全力で楽しもう」

「話を聞けよ！」

　凛子はいつもの調子で突っ込んだが、そこではたと気づいた。

（この場合、煽っては駄目なんじゃないかな？　流聖さんの勢いを止めるには……よし、キャラ変更で行こう！）

　正面から立ち向かっても師匠はビクともしないので、凛子は攻撃の方向性を変えてみることにした。ピンクの手錠をこねくり回しながら、彼女はもじもじして上目遣いをしながら言った。

「……ねえ、流聖さん。今夜は、わたしたちにとって一生思い出に残る、記念の日ですよね。だから、忘れられない夜にしたいんです。手錠をつけたら……その、わたしの腕で流聖さんの事を、ぎゅうってできないし……目隠しをしたら、流聖さんの、ひ、瞳をっ、みつめる事が……できないじゃないですか……」

ネットのどこかで拾ってきたようなわざとらしい言葉を、内心で「うひゃあ、こっぱずかしい！」と思っていながらも、気力を振り絞ってぎこちなく口ごもりながら凛子は言ったのだが、それがかえって初々しく見えてしまったようだ。

流聖は目を見開いて凛子の事を凝視していたが、やがて口元を押さえて顔を背けた。

「俺のことを、そんな、ぎゅうってしたかったのか！　なんて可愛いんだ！　くうっ、これはヤバい！」

彼は、自分の言った台詞の恥ずかしさに真っ赤になった凛子を見て何か勘違いをし、無駄に萌えて身悶えた。

「そ、そうだな。ちょっと俺のおふざけが過ぎたようだ。ピュアな凛子にとっては、今夜は神聖な夜だったんだな。なのに、こんなおもちゃを用意したりして。すまん。全面的に俺が悪かった」

「そんな……」

凛子は、せっかく流聖にピュア認定してもらえたので、脱げかけたバスローブを着ながら、恥ずかしそうに身体をちょっとくねくねして続けた。

「流聖さん、ふつつか者ですが、末永くお願いいたします。あの、今夜も優しくしてください……ね？」

「ふぉっ！」

流聖は、イケメンにふさわしくない奇声を発した。

「お、俺の嫁はなんて可愛いんだ！　や、優しくする、大丈夫だ凛子、安心して俺に身を委ねるが良い」

「流聖さん……」

まだ安心できない凛子は、手錠と目隠しを持つと素早く遠くへ放り投げた。そして、流聖の目を見つめながら「はい、よろしくお願いします」と笑って見せた。

片や過去に彼女が何人かいたモテモテ男子であり、片や男女交際をろくにした事のないお局女子だ。

しかし、女は女。凛子は本能的に、女の武器を使って流聖に効果的な攻撃を次々と繰り出して、順調に正統派のえっちへと舵（かじ）を切った。

流聖は、自分のバスローブを脱ぎ捨てて全裸になると、凛子を引き寄せて唇を重ねた。

凛子も無事に自由をキープした両手で流聖を抱きしめて、口づけに応える。

「昨日の夜は、お互いに気持ちが行き違っていたから、今夜が俺たちの『初夜』だな」

耳元でそんな事を囁かれた凛子は「はい、そうですね……なんか恥ずかしいです……でも、嬉しい」などと、どこかの乙女ゲームでヒロインが言いそうな台詞で迎え撃った。

ピュアモードになった凛子を、流聖は優しく抱きしめながら頭に頬を擦り寄せて「可愛い俺の凛子、一生大事にするからな」ともうメロメロだ。

ちゅっ、ちゅっ、と音を立てて口づけながら、流聖は凛子のバスローブを脱がせる。そして、肌と肌をしっかりと合わせて抱きしめた。

「凛子……俺のものだ。誰にも渡さない」

「んっ」

凛子の唇を割って流聖の舌が滑り込み、口腔内を弄って感じやすい所をくすぐった。彼の骨張った大きな手が凛子の背中を滑るように撫でると、すでに流聖の愛撫を知っている身体が反応して、びくりと震えた。

「ふわぁっ」

のけぞった凛子の首を、流聖の舌が舐め上げた。そのまま耳を口に含むようにして、しゃぶるように舐め回す。

ぴちゃぴちゃという淫靡(いんび)な水音に脳内を犯されて、凛子の身体は熱くなり、秘密の部分からは恥ずかしい液が溢れてきた。

（やだ、身体がおかしくなりそう。昨日が初めてだったのに、どうして？）

好きな男性と結ばれた凛子の身体は、流聖のことを伴侶だと認識して一気に女性性が花開いたのだ。もう、彼に触れられるだけで感じてしまう。

「可愛い……」

「ああんっ！」

流聖に身体を撫で回され、舌で愛撫された凛子は、甘い嬌声をあげて彼の背に爪を立ててしがみついた。

「なるほど、こんなに愛らしい姿が見られるとは、手錠をしなくて正解だったようだ」

すでに固くしこった乳首を口に含み、舌先で転がされ、ちゅくちゅくと音を立ててねぶられた凛子は、あんあんと鳴き声を出して涙で潤んだ目で流聖をすがるように見た。無力な小動物をいたぶっているような背徳感で、流聖は獣と化していく。

彼女の胸を責めながら、彼は凛子の脚を割り広げると、花開いていく秘所に指を滑らせて、くちゅりと溢れた愛液をまぶすようにして塗り広げた。その刺激で、秘密の穴からはさらに蜜が溢れてくる。

「あっ、やあん！」

「すごいな、こんなに濡らして。昨日まで処女だったなんて、信じられないくらいだ。だが」

お前の初めては、俺が貰ったんだもんな。

耳元でそう囁きながら、流聖は凛子の中へと指を沈めていく。ずぶずぶと秘肉を犯していく指は、淫らに蠢きながら凛子の身体の奥底を探った。下腹にきゅうっと力が入り、凛子の中は流聖の指を逃すまいと言わんばかりに締めつける。

「ひゃん、流聖さんっ、そこは、あん、やあんっ」

「嫌じゃなくて、イイんだろう？　いやらしい身体になってきたな、こんなに蜜を溢れさせて、俺を奥へと引き込んでいくぞ」

「やあああん、そんな、ちがっ、ああん！」

くちゅくちゅと音を立てて指を出し入れされた凛子は、無意識のうちに腰を振りながら鳴き、快感に怯えてイヤイヤした。

しかし、夜の獣となった流聖は、歯をむき出して獰猛に笑った。

「わかっている。お前の欲しいものは指ではないんだよな」

「やっ、ああん、流聖さんっ」

「大丈夫だ、こんなにもお前の身体に求められたから、俺の準備はばっちりだ」

流聖は素早くベッドサイドにあった四角い包みを開けて、用意した。そして、身体に力が入らなくなっている凛子をベッドに押し倒すと、膝を割り開いて、濡れそぼって彼を待ちわびている凛子の秘密の場所に押し当てた。

昨夜と違って無駄な力は抜けているが、流聖しか受け入れたことのない彼女の秘肉の道は狭く、そして熱かった。

「くっ」

彼が腰をぐっと押しつけると、固くそそり立った彼のモノがぐちゅり、ぬちゅ、と淫猥な音を立てながら凛子を貫いていく。

「あーっ！」

痛みはない。むしろ、自分の意思とは関係なくお腹の中がひくひくと蠢き、流聖の熱い肉棒に絡みついた。

「流聖さん、流聖さあんっ」

すすり泣くように名前を呼びながら腕を伸ばし、彼の首に手を回すと、流聖はぐいっと腰を押しつけて凛子の奥深くまで自身を沈め、彼女を抱きしめてキスを落とした。そして、ゆっくりと動こうとしたが。

「うっ、これは……」

「流聖さんが、ぐりぐりってしてるぅ、あっ、そこは、駄目、そんなにしちゃ、ああんっ」

「ぐううっ、なんて凶悪な嫁だ！」

「駄目ってば、あん、あん、ああんっ」

「だから、締めるな、煽るな、我慢が、くうううーっ！」

凛子を抱くとなぜかケダモノ化が進んでしまう流聖は、今夜もまったく余裕がなくなり、未来の嫁の腰を抱えると激しく腰を振り、何度も何度も凛子の中を犯した。

「あああーっ、流聖さん、イっちゃう、駄目、そんなに、あっ、あっ、あああーっ！」

「凛子、凛子ーっ！」

無自覚にエロい婚約者に翻弄されて、流聖は熱い情熱の飛沫（ひまつ）を噴出してしまい、何度もふたり仲良く果てたのであった。

第十二章　そして、林檎は

　ふたりが婚約してから、約一週間が過ぎた。本日は、凜子が流聖の実家へ挨拶に来ている。

「まあ、いらっしゃい。どうぞあがってちょうだい」

　流聖が選んだアイボリーのツーピースを着た凜子は、玄関で迎えてくれた流聖の母に手土産を渡すとお辞儀をした。もちろん、笑顔も忘れない。

「お邪魔します」

　薫のヘアサロンで身支度を整えた凜子は、淡いメイクをして品の良いお嬢さまに見える。

　流聖の家族は、内情は詳しくは知らないものの、見た目も中身もハイスペックな流聖が歴代の彼女たちとなぜか結ばれることなく歳を重ね、最近では交際すらも諦めて、時折仙人のような表情を見せるようになってしまったのを知っているため、凜子との婚約話を聞いて大歓迎であった。

「こんな可愛らしいお嬢さんが、流聖と結婚してくれるなんて嬉しいわ。さあ、こっちがリビングなの。うちの人と、流聖の妹の……」

「えええええーっ！　なんで？　どういうこと？」

妹だという女性が、驚愕の表情でソファから立ち上がり、凛子を指差して叫んだ。

「佐藤さん！　佐藤さんが！　佐藤さんが来た！」

「わあ、こんな所でお会いするなんて奇遇だね」

凛子も驚きを隠せない。目をぱちくりさせてから「こんにちは、お邪魔します」と頭を下げる。

「奇遇じゃないし、ここ、わたしのうちだし！」

「治代、なんですか失礼な。ごめんなさいね凛子さん、躾がなってなくて」

「きゃっ」

ソファの後ろに回った流聖の母が、頭をぐいっと押して、流聖の妹の治代を強制的に座らせる。

「お母さん酷いー」

「もう、おバカな子ね。凛子さんと知り合いだったの？」

「この人がうちの会社の佐藤さんだよ、ほら、この前話したじゃない」

「この前……あーっ、会社でえらいミスした書類出しちゃったのをフォローしてもらって事なきを得たからこっそりお礼したいけど照れくさくて今さらそんな事できないからどうしようってうぐっ」

「お母さん！」

治代は母の口を塞ぐと真っ赤な顔をして「やだもう、本人の前で言わないでよ！」と言った。

「佐藤さん、すみませんが今のは聞かなかったことにしてください！」

「はい、了解です！　……赤井さん、流聖さんの妹さんだったの？」

「そうです、この顔はいいけど中身が残念というか、間が悪いというか、運がないというか——そんな男の妹です」

「治代、本人の前で兄をこき下ろすのはやめろ」

流聖が無表情に文句を言った。

「でも、こんな見かけによらずに性格は真面目で女性に一途でかつ経済力がバツグンな掘り出し物ですから！　ぜひ貰ってやってください！」

「あの、いいの？」

「はい、日頃の感謝を込めて佐藤さんに謹んで進呈いたしますので。返品は受け付けませんよ！　わあ、なんか一石二鳥で済んじゃった、ラッキー」

さすがは治代だ、なかなかちゃっかりしている。

彼女は凛子に尋ねた。

「でも、佐藤さんも全然気がつかなかったんですか？　『赤井』っていう苗字の人は、珍しくはないにしてもそんなにいないと思うけど」

「……ずっと『流聖さん』で済ませていたから、知らなかったんです。流聖さんの苗字って『赤井』だったんですね。そっか、赤井流聖さんかー。『赤い流星』みたいでなんかかっこいいですね」

えへ、と笑う凛子に、赤井家の者は（そこかよ！）と内心で突っ込んだ。

「でもよかったー、急に兄貴が結婚するっていうから、どんな人が相手なのかと……ああああーっ！」

「赤井さん、今度はどうしたの？」

せっかく座ったソファからまた立ち上がって叫ぶ治代を見て、凛子は首を傾げた。

「治代、お前は失礼すぎるぞ」

さすがに眉間にしわを寄せて、流聖が言った。

「だって兄貴！　佐藤さんが結婚したら……」

名前のコンプレックスを拗（こじ）らせていた治代は、凛子に言った。

「佐藤さんの名前が、『赤井凛子』になるんですよ！」

「赤井凛子……赤いりんご……」

凛子が呟いた。

「そうです。赤いりんごです」

「……可愛い名前ですね。なんか照れちゃうな」

「えっ、いいの？　本当にいいの？」

予想外の反応に、治代が凛子に聞き返した。

「赤いりんご、ですよ？」

「はい、とても素敵な響きですね」

ほんのりと頬を赤く染めて嬉しそうに笑う凛子を、思わず流聖は抱き締めた。

（くうっ、可愛い！　俺の嫁は最高に可愛い！）

そんなふたりを見た赤井家の人たちは（いい子が来てくれる事になって本当に良かった）と嬉しい気持ちになった。


こうして。

熟れずに木から落ちそうだった毒林檎は。

幸せな、真っ赤な林檎になりました。


おしまい。

書き下ろし番外編　姉ちゃんが結婚するってよ！

「はあ？　おかん、今なんて言った？」

友達と遊んで帰ってきた俺を迎えたのは、衝撃のニュースだった。

「だから、凛子が次の日曜日に、うちに婚約者を連れてくるって言ってるの。あんた、まともなカッコしてうちにいなさいよ。午後二時ごろに来るらしいから……お茶菓子はどうしようかなあ、あ、日本茶でいいのかな？　コーヒーとか紅茶とか、洒落たもんじゃないとダメかな？　和也、どう思う？」

「待てや！　茶の話の前に、もっときちんと説明しろよ！」

そんなもの、飲めればなんだっていいじゃんか。

だが、うちのおかんは泣きそうな表情で手をバタバタさせながら言った。

「だって、だってね、なんかすごい人が来るらしいのよ？　あっと驚くようなやんごとなきイケメンなのよ？　普通じゃないの、もう、お母さん、どうお迎えしたらいいのかわかんないよ！」

「泣くなおかん！」

原因がわからないが、うちのおかんは謎のパニックに囚われているようだ。

まあ確かに、一生独身かもしれないと思われていたうちの姉ちゃんが、彼氏とかそういうのをすっ飛ばして突然婚約者を連れて来るっていうのだから、親として動揺するのも仕方がないとは思う。

思うけど、これは少々度が過ぎてやしないか？


俺は佐藤和也。理系の国立大学に通う、大学四年生だ。しっかりした大学だという事で就職率も良く、推薦で入社できる会社も多い。幸いなことに第一志望の企業から内定を貰うことができたので、今は卒業研究を楽しんでいるところだ。

え？　勉強が楽しいって変だって？

理系のオタクを舐めんなよ。いろんな機械を使って研究するのは、遊びの延長みたいで楽しいもんだぞ。

そして、そんな俺には30歳になった姉ちゃんがいる。元々真面目で頭が良くて、都内にある人気の会社に就職した姉ちゃんは、すぐにひとり暮らしを始めて、そのままうちに帰ってこなくなった。

さすがにお盆と正月には、めんどくさそうに帰って来るけどな。

この姉ちゃんが、悪いやつではないんだけど、なんとも残念なんだ。いつまでも高校の時のジャージを愛用してるし、見た目をあんまり気にしないし、なんか常にダサい。鞄には変なサボテンのキャラクターグッズをつけてるしさ。

姉ちゃんは、サボりんとかいうそのキャラクターが好きなあまり、今も部屋でサボテンを育てたりしているらしくて、それもうちに帰ってこない原因のようだ。まだ姉ちゃんが学生の時に、サボりんグッズの置いてある店を街で見かけたので、軽い気持ちで俺の小遣いでフェイスタオルを買ってきて姉ちゃんにやったら「やったあ、でかしたぞカズ！　これは限定品だ！　お前の兄弟愛はしかと受け取ったぞ！」とすげえ笑顔で喜んで飛び跳ねて大変だった。なので、つい今でも、マグカップとか、旅先で地方限定サボりんを見つけると、姉ちゃんに買ってきてしま……いや、それはどうだっていい。

そんな、モテないＯＬ代表みたいな姉ちゃんに、婚約者ができた。

しかも、しかもだ。

おかんに送られてきた、姉ちゃんとその婚約者のツーショット写真を見た俺は、思わず「結婚詐欺だーっ！」と叫んでしまった。

そこには、照れた顔で笑う姉ちゃんと、姉ちゃんの肩を抱く、俺の人生で一度も見たことのないようなすげえイケメン野郎が写っていたんだ！

「やべえよ、絶対姉ちゃんはこいつに騙されて……うん？」

俺は、おかんのスマホを奪い取って、もう一度よく写真を見た。

「これ、姉ちゃん……じゃなくないか？　あれ？　顔は似てるけど……」

「そうなの、なんか凛子なのに凛子じゃないんだよね。変な話だよね、狐(きつね)に化かされてるみたいな気分になるわ」

その写真の姉ちゃんは、感じの良いうすむらさきのワンピースを着ている。似合っているけど、姉ちゃんが絶対に着ないような服なんだ。

姉ちゃんのセンスはあまりにも駄目駄目なんで、おかんに頼まれて俺が服を買ってきた事もあるくらいだからな。

「……この婚約者が買ったワンピースなのか？　この姉ちゃんなら、このイケメンと付き合ってもまあおかしくは……いや、だけど……」

俺の知ってる姉ちゃんが、この写真のようになる間に、いったい何があったんだ？

俺が混乱していると、おかんはスマホを取り上げて「謎はすべて、日曜日に解ける！」と言い、アニメキャラのようににやりと笑ってみせた。

さすがはおかんだ、肝が据わっている……と俺が感心するや否や「だから、お茶とコーヒーと紅茶とお茶菓子、どうしよう？　ねえ、玉露ならいいかな？」と再びパニックになりかけたので、俺は「知らねえよ！　わかった、とりあえず一番高いお茶と洒落た菓子をデパートで買ってきてやるから、金をよこせ」と問題を引き受けてやった。

というわけで、日曜日である。

「初めまして。赤井流聖と申します」

高そうなスーツを着た背の高いイケメンが、内心の動揺を押し殺しているおとんに名刺を渡した。おとんは名刺をちらっと見たが、たぶん目が滑って頭の中まで情報が到達していないだろう。

「流聖さんは、乙川商事で一緒に働いている赤井治代さんのお兄さんなんだよ」

イケメンの横でにこにこしている姉ちゃんは、今日は水色のワンピースを着ている。良く似合っているけれど、やっぱり姉ちゃんっぽくない。そういえば、髪型もなんか変わったように見える。

「それじゃあ、その同じ会社の女性の紹介で知り合ったのかな？」

おとんが、少しほっとしたように言った。会社の知り合いの兄弟って事なら、騙される可能性が低いからだ。乙川商事は結構名の知れた、コンプライアンスがしっかりした会社だから、安心感がある。

でも、姉ちゃんは「ううん、それを知ったのは昨日流聖さんの実家に行った時なんだよね。うちの会社の赤井さんがいたから、向こうもこっちも驚いちゃったよ」とけらけら笑った。

俺は椅子から立ち上がって言った。

「マジかよ！　のんきかよ！　じゃあ、どうやって知り合ったんだ？」

「話すと長くなるから、またね」

「今だろ！　今が話す時だろ！」

相変わらず突っ込みどころが満載の姉ちゃんだ。で、婚約者の流聖さんはというと、おかんが渾身の力を込めて淹れたデパートで一番高いお茶を飲み「ほう、とても美味しいお茶ですね」とおかんに頷いてみせて、佐藤靖子53歳の頬を染めさせていた。

なかなかの大物である。そして、危険なイケメンである。おとん、がんばれ。

「わたしたちは、なるべく早く籍を入れたいと思っています。結婚をお許しいただけますか？」

「その前に、ふたりが出会った事情を聞かせてもらいたいんだが」

いいぞ、おとん！

そして、きりっとしたイケメンに語られたふたりの馴れ初めを聞いた佐藤家の一同は、半分白目を剝いてテーブルに突っ伏す羽目になったのであった。

婚活、怖い！

姉ちゃん、ヤバい！

そして、常識的に見えて非常識なくらいのハイスペックイケメンが、一番ヤバい！

「……姉ちゃんも変わってるけど、あの兄ちゃんもかなり変わってるよな」

「うん、そうだな」

「お茶が美味しかったって。良かったわ」

婚約を祝福されたふたりが帰った後、テーブルに残された企画書を見て、俺たちは口々に言った。その表紙には『佐藤凛子と赤井流聖の挙式・披露宴・及び入籍について　原案』と書かれていて、このプロジェクトの目的や方向性、目指すもの、これからのスケジュールなんかがわかりやすくまとめてあった。

「こんなものまで用意するとは、あの男、反対される可能性は考えなかったのか？」

「あー、あれは、反対されたら凛子を攫って海外に飛びそうな感じだったわよね。凛子も愛されてるわね？」

「かっ、海外だと⁉」

おとんが動揺して、企画書を取り落とした。

「あの子、すっかり綺麗になっちゃって、幸せそうだったわ。良さそうな人じゃないの」

「無駄にイケメンだけどな、たしかに姉ちゃんは幸せそうな顔してたしな」

あと、あのイケメンの書類ケースには、ちゃっかりサボりんのマスコットがついてたしな。姉ちゃんを騙す悪いやつじゃなさそうだ。

「……まあ、凛子も大人だ。本人の気持ちが一番だからな」

おとんはそう言って、企画書をファイルにしまった。

「まあ、良かったさ。そうか、あの凛子が嫁に行くのか……今までピンとこなかったが、そうか、うん」

おとんはそう言って、少し寂しそうな表情になった。

「いい人が見つかって良かったわ。あの子はいい子だから、きっと良い事があると思ってたのよね」

おかんもちょっぴり寂しそうだ。

姉ちゃんが独り立ちしてから、もう何年も経つ。だから、婚約しようと結婚しようと、別に俺は寂しくない。

姉ちゃんは、いつまでも俺の姉ちゃんなんだからな。

泣かせるような真似をしたら、俺があのイケメンをぶっ飛ばすまでだ。

幸せになれよ、姉ちゃん。

お祝いにバイト代で、ペアのサボりんパジャマでも買ってやろうかな。

べっ、別に、これは嫌がらせじゃないからな！

あとがき

こんにちは、葉月クロルです。

この度はこの本をお手に取ってくださいまして、ありがとうございます。このお話は、蜜夢文庫さんでの二冊目の小説になります。

さて、前作の『拾った地味メガネ男子はハイスペック王子！　いきなり結婚ってマジですか？』では、出会った翌日に婚約してしまったOLのラブラブハッピー（そしていちゃいちゃ）なお話でしたが、今回は『婚活』がテーマのお話です。

『婚活』とは、結婚活動のこと。そう、結婚相手を探す活動なのです。

この言葉が使われるようになってから、まだ十年ちょっとくらいしか経っていないのではないでしょうか？　今はインターネットを使っての婚活がすっかりポピュラーになりましたね。

一昔前と違って、多くの女性が社会進出するようになりました。仕事に打ち込み、気がついたら周りの友達は結婚していた……とか、なんとなく恋愛して結婚できると思っていたのに、いつの間にかアラサーも過ぎてとうとうアラフォーに……などという話も耳にします。

そういえば、『三高』、つまり理想の夫の条件として、高収入、高学歴、高身長なんていう言葉もありましたね。それが、バブル経済が過ぎた後からは『三平』の平均的な収入、平均的な見た目、平穏な性格という条件を経て、『四低』で低姿勢、低依存、低リスク、低燃費（プラスして、清潔感があってコミュニケーション能力が高い、普通の容姿）の男性が理想的になりました。

さらに景気が低迷すると『三強』の生活、不景気、身体に関して強い男性が求められます。

そして今は『三生』……わかりますか？　生存力、生活力、生産力が高い男性……トラブルに対処できる能力があり、実家に甘えず家事や育児を分担してくれて、人望が厚いそこそこ稼げる男性なのだそうですよ。

でも、果たしてこんな男性が婚活市場に存在するのでしょうか？

このお話のヒロインは真面目なＯＬなのですが、あまり男性と関わるのが上手ではなく、自分はもう一生恋愛も結婚もできないのではないかと諦めていました。ある事件をきっかけに、婚活を始める事になったのですが……。

はい、彼女もしっかり求めてますね！

『普通』の結婚相手を。

条件を見ると全然普通じゃないですけど、本人はまったくそれに気づいていません。

結婚相手をゼロから探そうとするヒロインの奮闘ぶりに、婚活ってこんなに大変なの？

と驚かれた方もいるかもしれません。

けれど、小説を書きながらいろいろと調べて、いまや婚活のエキスパートと言える（かもしれない）（いや、言ってしまおう。めっちゃ婚活に詳しいです！　このまま婚活コーディネーターになれそうですよ）わたしは知っています。

婚活って、本当に大変なんです！

この小説では書ききれていない、もっともっと多くの苦労を日本の婚活女子はしているのです。

いえ失礼、男子もでしたね。

結婚すれば、すべて上手くいくというものではありません。結婚とは、ふたりで家庭を作っていくというプロジェクトの、ほんの一歩ですからね。

とはいうものの、まずは結婚しないとスタートラインには立てません。

しかし、そこに辿り着くまでに、婚活中の皆さんがどれほどの努力をしていることか。

婚活をテーマにして、軽く五冊ほどお話が書けそうなくらいです。


とまあ、真面目な話になってしまいましたが。

ハッピーエンド至上主義のわたしですから、今回のお話も、夢とロマンスと笑いが溢れるドキドキのラブストーリーになっています。もちろん、お砂糖多めの甘ーいシーンもあります。肩の力を抜いて楽しんでいただけたら嬉しいです。

葉月クロル

★著者・イラストレーターへのファンレターやプレゼントにつきまして★
著者・イラストレーターへのファンレターやプレゼントは、下記の住所にお送りください。いただいたお手紙やプレゼントは、できるだけ早く著作者にお送りしておりますが、状況によって時間が掛かる場合があります。生ものや賞味期限の短い食べ物をご送付いただきますと著者様にお届けできない場合がございますので、何卒ご理解ください。

送り先
〒160-0004　東京都新宿区四谷3-14-1　UUR四谷三丁目ビル2階
(株)パブリッシングリンク
蜜夢文庫 編集部
○○（著者・イラストレーターのお名前）様

成約率１００％の婚活アドバイザーに“すべて”教えられてしまいました

２０２０年３月３０日　初版第一刷発行

著……葉月クロル
画……唯奈
編集……株式会社パブリッシングリンク
ブックデザイン……おおの蛍
（ムシカゴグラフィクス）
本文ＤＴＰ……ＩＤＲ

発行人……後藤明信
発行……株式会社竹書房
〒102-0072　東京都千代田区飯田橋２－７－３
電話　03-3264-1576（代表）
03-3234-6208（編集）
http://www.takeshobo.co.jp
印刷・製本……中央精版印刷株式会社

ISBN978-4-8019-2214-3　C0193
Printed in JAPAN